TERREMOTOS Y DESASTRES

Lo que la Sabiduría Eterna nos Enseña

TORKOM
SARAYDARIAN

TSG PUBLISHING FOUNDATION, INC.

Editorial Dagón

Terremotos y Desastres
Lo que la Sabiduría Eterna nos Enseña
por Torkom Saraydarian
Colección *Booklets*

Publicado originalmente en idioma inglés
por TSG Publishing Foundation
(www.tsgfoundation.org)
Primera edición en idioma inglés: 1991

Traducción al español por TSG Spanish Translation Team
Edición en español: 2020
Impreso en España por: Editorial Dagón
Tel.: +34 629 627 355
Web: *http://editorialdagon.es*
E-mail: *jrubio@editorialdagon.es*

ISBN: 978-947571-37-2
Depósito Legal: V-1966-2020

Impreso en España

Earthquakes & Disasters
What the Ageless Wisdom Tells Us
by Torkom Saraydarian
Collection *Booklets*

First published in English
by TSG Publishing Foundation
(www.tsgfoundation.org)
First Edition in English: 1991

Translation by TSG Spanish Translation Team
First Edition in Spanish: 2020
Printed in Spain by: Editorial Dagón
Tel.: +34 629 627 355
Web: *http://editorialdagon.es*
E-mail: *jrubio@editorialdagon.es*

ISBN: 978-947571-37-2
Legal Deposit: V-1966-2020

Printed in Spain

Nota Importante: El propósito de este libro es educar. Ni el autor, ni el titular de los derechos de autor, y ni la Fundación TSG Publishing Foundation, Inc., tendrán compromiso, ni responsabilidad con alguna persona o entidad, con respecto a alguna pérdida o daño, causado directa o indirectamente, por la información contenida en este libro.

Esta edición en español ha sido completada gracias al generoso apoyo del Grupo TSG en Idioma Español y al Grupo de Estudios Teosóficos de Valencia (España). Expresamos nuestra profunda gratitud hacia todos aquellos que colaboraron con este proyecto.

SOBRE EL AUTOR

Torkom Saraydarian (1917 – 1997) nació en Asia Menor. Desde la niñez, fue entrenado en las Enseñanzas de la Sabiduría Eterna.

Visitó monasterios, templos antiguos y escuelas de misterios con el fin de encontrar las respuestas a sus preguntas sobre el misterio del hombre y el Universo.

Vivió con Sufis, derviches, místicos Cristianos y maestros de música y danzas del templo. Su educación musical incluyó el violín, piano, laúd, cello y guitarra. Le tomó largos años de disciplina y sacrificio poder absorber la Sabiduría Eterna de sus fuentes verdaderas. La meditación se convirtió en parte de su vida diaria, y el servicio, una expresión natural de su alma.

Torkom Saraydarian dedicó su vida entera al servicio de sus congéneres humanos. Sus escritos, conferencias, y música, muestran su total devoción a los principios, valores y leyes superiores que están presentes en todas las religiones y filosofías mundiales. Estos trabajos representan una síntesis de lo mejor y más bello en la cultura sagrada del mundo. Sus trabajos enriquecen el pensamiento fundacional sobre el cual el hombre puede construir su Futuro.

Torkom Saraydarian escribió un gran número de libros, muchos de los cuales han sido publicados. Todos sus libros continuarán siendo publicados y distribuidos. Algunos han sido traducidos al armenio, alemán, italiano, español, portugués, griego, holandés y danés.

Dejó un rico legado de escritos y composiciones musicales para el disfrute y beneficio de toda la humanidad por muchos años por venir.

CONTENIDO

INTRODUCCIÓN

Mi amigo,
no estamos solos
en este universo.
Somos parte de él.
Tenemos un rol que desempeñar;
tenemos responsabilidad
en esta gran sinfonía
del Cosmos.

La leyenda de Shamballa

PRÓLOGO

Hay muchos peligros Cósmicos:
peligros de
planetas en desintegración,
lunas,
cometas, constelaciones,
tormentas eléctricas,
flujos de energía en el Espacio,
olas de marea de fuerzas
creadas por terremotos
dentro de grandes desiertos
de campos de energía
en las esferas Solar y Cósmica.
Hay explosiones
de acumulaciones de energía
en el Espacio.
    Nuestra tierra
    y otros planetas y sistemas
    son pequeños barcos
    en el océano
    de las vivientes y poderosas
    olas del Espacio.
        El Capitán de nuestro barco
        está de servicio durante las veinticuatro
    horas,
        millones de años,

para guiar el barco
a la orilla destinada
de la Futura Perfección.

La leyenda de Shamballa

1

CRISIS

A través del trabajo
cooperamos con la Naturaleza.

Durante muchos siglos la gente ha pensado que las calamidades naturales o los desastres eran:

- Advertencias del Gran Poder.
- Castigo por nuestra equivocada forma de vida que va en contra de la Voluntad de esa Gran Potencia.
- El resultado de la Ley de Causa y Efecto.
- El resultado de nuestros propios pensamientos, emociones y actos.

Hay un gran significado detrás de estos puntos de vista.

Sabemos que todos los globos y sistemas, incluyendo nuestra tierra, están flotando dentro de fuerzas electromagnéticas y son operados por éstas. Este océano de fuerzas electromagnéticas es la esfera en la que nuestro planeta evoluciona a través de todos sus reinos hacia un destino planificado. La esfera electromagnética está construida, básicamente, de tres tipos de energía que en lenguaje común se conocen como «intelecto», «amor» y «fuego» o «voluntad».

Estas tres energías son la fuente de nuestra existencia, vida y evolución. Constituyen el campo en el que todas las formas de vida sobre el planeta viven y se mueven y tienen su ser. Equilibran y conducen la vida planetaria total hacia el desarrollo progresivo bajo un Plan mayor del Sistema Solar. Se nos dice que alrededor del planeta estas energías tienen sus centros y su red geométrica a través de la cual llegan a cada ser viviente, a cada hombre, haciendo que se esfuerce en mantener el sendero hacia la evolución, el sendero hacia una mayor consumación, dentro de sí y abierto a todas las formas.

El hombre es una réplica de nuestro planeta. Se mueve en el mismo tipo de atmósfera individual, tiene las mismas energías y centros correspondientes para hacer contacto con el todo mayor. Esta es la razón por la cual el hombre refleja o responde a todos los *eventos* que ocurren en el gran campo energético, como una unidad inseparable de ese campo global. Sus pensamientos, sus emociones, sus acciones causan una impresión inmediata sobre el campo de energía y eventualmente producen una respuesta en varias formas.

Estos pensamientos, emociones y hechos son en realidad cargas de energía que no sólo penetran el gran océano de energía, sino que también construyen formaciones nebulosas alrededor del globo. Cuando tales formaciones alcanzan un cierto punto de densidad, poder y radioactividad, causan grandes efectos destructivos o constructivos sobre los reinos del globo. La apertura de su contenido, o su polarización, determina si el efecto será destructivo o constructivo. Estas formaciones nebulosas canalizan la energía global u obstaculizan su flujo, ya sea para bien o para propósitos destructivos. Cuando desaparecen *agotándose*, volvemos a ver el arco iris en el cielo.

Una historia interesante en el Antiguo Testamento habla de tres Grandes Seres que llegan a las ciudades de Sodoma y Gomorra. Allí encontraron a un hombre justo y le dijeron que iban a destruir las dos ciudades. Dijeron que las ciudades iban a ser quemadas a causa de la maldad de su pueblo, y ello sucedió. Aquellas ciudades y «...todos los habitantes de las ciudades y todo lo que crecía sobre la tierra» fueron calcinados (*Génesis* 19:25).

¿Qué tiene que ver la maldad con la destrucción de ciudades por incendios o terremotos? La respuesta es que la maldad, una vida vivida contra el amor, contra la luz, contra el propósito del globo, crea perturbaciones en las esferas, cargando las formaciones negativas y eventualmente estimulándolas a la acción. Las catástrofes naturales son el resultado de esta acción.

Psyche and Psychism, págs. 386-387[1]

Los Antiguos solían decir que las mentiras colectivas forman el núcleo de los tifones y que también son las causas de los terremotos. ¿Cómo puede considerarse que esto no es científico, si recordamos que las perturbaciones en la mente colectiva son perturbaciones de las fuerzas dentro y alrededor de la Naturaleza?

1. N. del T: Las referencias a las páginas de las obras citadas corresponden a las versiones originales en inglés, salvo comentario en contra.

El éxito y la prosperidad son el resultado de la armonía y la integridad. La Naturaleza florece y los pájaros cantan sólo por la armonía de sus corazones. Las reacciones violentas de la Naturaleza son un esfuerzo para compensar todos aquellos elementos que inducen desarmonía en sus sistemas de energías.

Challenge for Discipleship, p. 448

> *...Cuando el Señor dijo que Él no trajo a la Tierra la paz sino la espada, nadie comprendió esta gran verdad. ¡La purificación del espíritu por el fuego es esa espada!*
>
> *¿Se puede lograr la purificación sin dar golpes? ¿Es posible purificar el esfuerzo sin aniquilar la escoria? ¿Es posible manifestar el logro sin el esfuerzo del espíritu? Sólo la espada que golpea al egoísmo puede vincular el espíritu al mundo superior... El que descansa sobre una falsa paz construye verdaderamente la autodestrucción. Así, la palabra del Señor sobre la espada proporciona el símbolo de la purificación.*

Sociedad de Agni Yoga,
Infinito, Vol. II, párr. 169

Cuando las calamidades naturales, en forma de terremotos, incendios, inundaciones, huracanes y epidemias, ocurren en ciertos lugares, gran parte de la pesada carga del karma es aligerada o quemada en esos lugares. Después de tales desastres, una nueva belleza y una vida mejor comienzan. Estos desastres ayudan a la gente a darse cuenta de la grandeza del poder de la Naturaleza y del poder insignificante del ser humano, con todo el conocimiento científico y la riqueza acumulada, para encontrar protección contra Ella.

La sustancia de los tres mundos se mueve hacia la involución, hacia la manifestación, hacia la materialización y la diversidad, y el hombre cae gradualmente en la inercia de la materia, cubriéndose con un grueso manto de posesiones materiales. Entra en los estados de ensueño de sus placeres y utiliza su mente para satisfacer su vida separatista. Las calamidades o desastres naturales pueden servir para darle un choque tormentoso que a menudo rompe el caparazón de su identificación con la materia y deja que la luz fluya en su consciencia; esta luz puede conducirlo a una mayor libertad, a un desapego más completo de los tres mundos y puede arrojar más luz sobre el sendero para su eterno viaje.

Psyche and Psychism, págs. 385-386

La gente a veces piensa que, debido a la presión espiritual dentro del hombre, deberíamos ser capaces de hacerlo mejor de lo que lo estamos haciendo hoy en día a escala global. Esto es cierto si nosotros, en virtud de la ley de la libertad de elección, quisiéramos hacerlo. Sin embargo, muy a menudo, los seres humanos, en lugar de escuchar a la pequeña voz dentro de sus corazones, viven una vida dañina para ellos mismos y para los demás. Así se origina el desequilibrio, que eventualmente se convierte en la causa de varios desastres.

Cuando la humanidad crea obstáculos en el camino del desarrollo armonioso de la vida global, sus propios obstáculos forman una nube cargada de energía negativa que, a su debido tiempo, baja y golpea su fuente y lugar de origen en forma de erupciones volcánicas, terremotos, incendios, sumersión de continentes y otras calamidades naturales. El resultado de tales catástrofes es la eliminación de obstáculos y el establecimiento de la armonía dentro del campo energético del globo y del Sistema Solar.

Un acontecimiento paralelo tiene lugar en nuestras vidas individuales. Nuestro cuerpo físico está flotando dentro de los cuerpos etérico, emocional y mental, que están bajo el ritmo de la Presencia Interior. Cuando las cosas van mal en cualquiera de estos cuerpos a través de nuestras mentiras, odio, celos, desperdicio de energías preciosas, o en actividades mentales equivocadas y actitudes negativas, creamos disturbios dentro de estos cuerpos. Tarde o temprano estas perturbaciones descienden y afectan la condición de nuestro cuerpo físico. En cierto sentido, nuestro cuerpo físico es la sombra de nuestro cuerpo etérico. Cualquier cambio en el cuerpo etérico se refleja en el cuerpo físico. Debido a este hecho, se nos dice que, en los siglos venideros, la medicina se ocupará, principalmente, del cuerpo etérico en la curación del cuerpo físico.

Cada hombre tiene (como toda la humanidad), según su propio nivel de consciencia, una cierta cuota de energía que utiliza según su propio poder de discriminación. Puede malgastarla a través del sexo excesivo, o puede tratar de cultivarla con fines creativos superiores para producir obras maestras de arte, descubrimientos científicos o radiaciones curativas.

Cuando cambia su nivel y se encuentra en un plano superior, su cuota de energía aumenta debido a la creciente eficiencia de su centro etérico y sus centros superiores. En este punto su responsabilidad con estas energías aumenta. Si las utiliza mal, quema los centros inferiores y perturba las glándulas correspondientes del cuerpo físico, invitando al dolor y al sufrimiento sobre sí mismo. Usar mal significa que, en lugar de usar las energías en sus propios niveles, el hombre las usa en los niveles inferiores para satisfacer sus deseos físicos y emocionales. Por ejemplo, eres un rey que tienes diez grandes científicos trabajando para ti. En lugar de dejarlos hacer su investigación científica, los usas para cavar o para cargar piedras para construir casas de placer para ti. Estás usando mal las energías.

El individuo y tal vez toda la humanidad, hacen un mal uso de la energía, en particular de la energía sexual. Esta energía es una de las más valiosas en el mecanismo del hombre. Se encuentra entre el espíritu y la materia y puede enriquecer la vida espiritual del hombre cuando se sublima; o empobrecerla, si se desperdicia. El desperdicio de energía sexual crea grandes perturbaciones en los cuerpos sutiles. Estas alteraciones regresan al mecanismo físico produciendo complicaciones. Por esta razón se pone gran énfasis en la importancia de la moderación sexual y su uso creativo. En aquellos lugares donde esta energía se desperdicia en grandes cantidades, la destrucción ocurre a través de calamidades naturales.

La energía sexual es una energía muy valiosa porque avanza para convertirse en vitalidad, sensibilidad en las células cerebrales, impresionabilidad en el aura, creatividad en la mente, magnetismo y radiación curativa en los centros. A través de ella proporcionamos los materiales o la sustancia para construir nuestros vehículos superiores a escala individual y global. Por esta razón no debe ser desperdiciada, sino que debe ser usada para propósitos procreativos y para crear belleza, transmutación y dicha. Cuando es desperdiciada en cantidades masivas por naciones o grandes grupos de seres humanos, todo el mecanismo de los seres humanos o las naciones no puede responder a las energías creativas, sino que más bien las distorsiona, causando un desequilibrio que invita a la destrucción. Muchas naciones y grupos han sido destruidos de esta manera.

A veces la gente piensa que la fuente de energía es inagotable. Esto es cierto si estás en una etapa en la que no usas la energía para ningún placer ni satisfacción personales, sino que la usas sólo para promover el Propósito Divino. Por debajo de este nivel, tu cuota de energía es limitada. Esto explica el hecho de que cuando las personas sienten una falta de energía sexual, consumen más alimentos y más alcohol u otros estimulantes para llenar el vacío. Aquellos que se dedican a la meditación superior y a los trabajos mágicos del Alma están creando un gran fuego dentro de sí mismos. A veces sucede que se crea fuego, pero no tenemos la protección adecuada alrededor del fuego debido al mal uso de nuestras valiosas sustancias. Así, el fuego quema nuestros vehículos, causando muchos trastornos físicos. Imaginen cómo esto afectará el equilibrio planetario, si la mayoría de la gente está usando energías etéricas, emocionales y mentales en contra de la Voluntad ordenada del Imán Cósmico.

Psyche and Psychism, págs. 387-389

Hay ciclos en los que se vierten nuevas energías en la esfera de nuestro globo, o en la esfera de nuestro Sistema Solar. Ofrecen grandes oportunidades para el progreso y las iniciaciones. Dentro de estos ciclos ocurren ciclos de crisis que deben ser manejados sabiamente para preservar el equilibrio o armonía de la Vida Planetaria. Las energías que entran son impersonales y pueden ser destructivas o constructivas en su efecto inmediato de acuerdo con el nivel de consciencia sobre el cual hacen su impacto. En el momento de su liberación, si ellas tocan formas mentales dañinas y destructivas, formas mentales que están en contra de la Luz, el Amor y la Voluntad Divina, crean grandes conmociones, revoluciones, guerras y calamidades naturales. Sin embargo, si estas energías entran en contacto con formas mentales de unidad, amor, cooperación y gratitud, se convierten en fuentes de tremenda creatividad en los siete campos del quehacer humano.

Por lo tanto, en estos ciclos, es imperativo que los aspirantes, discípulos e Iniciados del mundo estén alerta y despiertos, y que vivan vidas de sacrificio de gran belleza, haciendo posible que estas energías creen rectas relaciones humanas, fomenten la buena voluntad, promuevan la idea de unidad y síntesis, y derriben así las barreras existentes entre las naciones, allanando el camino a la humanidad una. Cada forma creada es un transformador y un transmisor. Si la forma no está en la condición psíquica correcta, el aparato o «conjunto» completo, falla y funciona con distorsión y error.

La mayoría de la gente piensa que las flores y los pájaros fueron creados para ser usados por el hombre para su disfrute y satisfacción. Pueden utilizarse para estos fines, pero tienen un papel más importante que desempeñar. Son «tubos de electrones» que transmutan ciertas energías curativas a los seres humanos, sin los cuales el reino humano sufriría tremendamente. También limpian capas pesadas de formas mentales básicas, formas mentales criminales o feas de la atmósfera. Sirven para establecer armonía y ritmo. El canto de los pájaros y la fragancia de las flores tienen un efecto destructivo sobre las emociones negativas y los pensamientos básicos que flotan en la atmósfera. Es importante purificar la atmósfera de tu jardín con la fragancia y el colorido de las flores. La fragancia y el color son vibraciones que tienen un gran efecto en el mundo psíquico. También debes tratar de atraer a tantos pájaros como sea posible a tu jardín, porque sus cantos abrirán canales puros entre tú y los reinos de los devas. No es aconsejable mantener a las aves en jaulas. Un pájaro encarcelado no canta como un pájaro libre. Son los himnos y cantos de los pájaros libres los que deberían llenar el aire que nos rodea.

El smog y muchos gases venenosos, resultado de la codicia humana, están destruyendo nuestras flores, aves y árboles. Así, nos están llevando a la enfermedad y las dolencias, y están produciendo un suelo fértil para el crecimiento de las fuerzas oscuras en nuestro planeta. Las energías espirituales pueden expresarse en el aire puro, en la belleza de la naturaleza, en la fragancia y en las montañas y bosques que están libres de gases venenosos. Las energías espirituales necesitan pájaros y flores de pensamiento, emociones y obras, que se encuentren sanos para que puedan derramar vida más abundante de alegría y bienaventuranza.

Una de las tareas más grandes de los educadores es preparar a los seres humanos para que sirvan como «tubos» sanos que transmutan las energías benevolentes en actos vivos. Sólo elevando la calidad de la sensibilidad a las impresiones espirituales, y purificando nuestros pensamientos, sentimientos y actos a través del fuego del amor, podemos crear el equipo necesario para la absorción, digestión y expresión seguras de estas energías, y así condicionar la evolución de la vida en nuestro planeta. En caso de que fracasemos en esta preparación, las energías entrantes no nos alcanzarán. Si logran penetrar a través de la contaminación, nos destruirán debido a la contaminación de nuestro propio desarrollo de baja calidad. Incluso el desplazamiento del Polo Norte, que puede causar terremotos, es un medio para enfocar nuevas energías en el planeta. Cada vez que este cambio ocurre, recibimos una nueva oportunidad para avanzar en el sendero de la evolución. El efecto destructivo no es causado por el cambio, sino por la fricción entre las nuevas energías y las formaciones oscuras del crimen, la codicia, el espejismo y las ilusiones humanas.

Las energías espirituales se derraman más abundantemente durante el período de luna llena. El Maestro Tibetano aconseja encarecidamente que, en cada luna llena, los discípulos y los Iniciados se reúnan y mediten para absorber estas energías y convertirlas en actividades creativas y aspiraciones edificantes. Esto se logra por medio del pensamiento correcto y las oraciones, invocaciones, meditación y contemplación elevadas, expresadas a través de una vida de rectas relaciones humanas y de buena voluntad.

Un punto debe destacarse aquí: cuando ocurren calamidades naturales, podemos asumir que es el castigo de Dios. Esto no es cierto. Cuando un hombre es afectado por la enfermedad, esa enfermedad está allí para establecer el orden, el equilibrio y eventualmente, la salud en su sistema. Mucha gente piensa en términos de una vida. Creemos que cada una de nuestras vidas no es más que un día del gran período de la vida. Todo sufrimiento, dolor y catástrofes eventualmente nos despiertan y limpian nuestro sistema de todas las impurezas, estableciendo luz, amor y poder dentro de nosotros. De hecho, nuestros obstáculos deben ser bendecidos. Lo mismo ocurre en las escalas planetaria y solar.

Las energías potentes son manejadas por el grupo de Grandes Iniciados para proteger a la humanidad.

Por ejemplo, se nos dice que en 1939 la energía de Voluntad fue liberada sobre la humanidad, y el efecto inmediato fue una gran guerra, debido al estado humano de consciencia en el que la avaricia, el odio y el egoísmo proliferaban. La misma energía fue liberada de nuevo en 1975. El resultado depende de la manera en que reaccionamos a la energía, de la manera en que la manejamos. Por lo tanto, es imperativo el pensar y vivir en términos de una sola humanidad, para la paz, la cooperación y la comprensión, si queremos evitar una gran catástrofe.

Las manchas solares son los latidos del corazón del Ser Solar. Cuando tales energías Solares son liberadas, pueden ocurrir grandes trastornos debido a la condición caótica de la atmósfera de pensamiento que rodea al planeta. Esta misma energía solar también puede convertirse en una gran energía creativa, si es recibida, asimilada, absorbida y expresada. Además de la energía liberada a través de las manchas solares, hay corrientes extra-planetarias de energía de pensamiento que pueden provenir de esferas inferiores o superiores. También pueden crear efectos positivos o negativos, dependiendo del estado de los receptores, usuarios y transmisores.

El Príncipe Rajput[2] pregunta de nuevo:

> *¿Es posible un diluvio que pueda arrasar regiones enteras? ¿Puede haber un terremoto*

2. N. del T: el autor hace referencia al Maestro Morya.

que destruya países enteros? ¿Puede haber un torbellino que barra ciudades? ¿Puede haber una caída de enormes meteoritos? Todo esto es posible, y la oscilación del péndulo puede ser aumentada. ¿Es que la calidad del pensamiento humano no tiene importancia? Así, que la gente reflexione sobre la esencia de las cosas. Está muy cerca del pensamiento y muchos pensamientos son dirigidos hacia aquí desde otros mundos. No culpemos solo a las manchas solares. Un solo pensamiento sobre la Hermandad ya es saludable.

Sociedad de Agni Yoga,
Fraternidad, párrafo 250

Se nos dice que, en 1945, en un esfuerzo por detener el sufrimiento de la humanidad, los dos Grandes Señores, el Buda y el Cristo, cambiaron la energía de la Voluntad y la canalizaron a través del centro de amor del planeta, la Jerarquía. Este acto fue realizado en *respuesta al grito de ayuda de la humanidad.* Un ser humano, equipado con la Luz, el Amor y la Divina Voluntad, puede cooperar conscientemente con la Naturaleza. Varios incidentes que ilustran este hecho se exponen en la Biblia:

- Noé construyó el arca antes del diluvio. (*Génesis* 6:14)
- Elías rezó y las lluvias llegaron. (*Reyes* 18:45)
- Moisés dividió las aguas del gran río. (*Éxodo* 14:21)

- Jesús ordenó que los vientos y las olas se calmaran.
  (*Mateo* 8:23)

Ya es hora de preparar a los Grandes Discípulos, a los Grandes Iniciados, a los que comprenden la Naturaleza y cooperan con ella para fines evolutivos. La Nueva Era, debido a las grandes energías entrantes, necesita «conductos» grupales, «transformadores» grupales y «transmisores» grupales. A través de su modo de vida, meditación, amor y servicio, absorberán muchas energías, refinarán la atmósfera y purificarán el globo de contaminación. Así condicionarán los efectos benéficos de las energías entrantes.

Muy a menudo, después de grandes desastres naturales, nos volvemos a prácticas espirituales, renunciamientos, disciplinas y amor. De pronto reconocemos los valores espirituales, y el impulso de servir y proteger aumenta dentro de nosotros. Somos conscientes de que las pérdidas sufridas a causa de estas crisis tienen un gran valor educativo que puede ser almacenado como tesoros y utilizado a lo largo de los siglos.

Tú puedes perder dinero, propiedades y muchas otras cosas, pero la lección aprendida puede ser de mucho mas valor que las pérdidas. Un minuto de correcta orientación hacia el Imán Cósmico te salva la vida de mil años de dolor y sufrimiento y te conduce a una vida de amor. El odio lleva a la muerte. El otro nombre para la muerte es odio. Conduce a la oscuridad, al sufrimiento y a las calamidades naturales.

Tus acciones y palabras, entonces, deben ser cargadas con energía de Amor para causar respuestas más elevadas, más profundas e inclusivas. Tu tipo de ser condiciona el tipo de energía que traerás y pondrás en acción. Si no trabajas en los principios del amor y la armonía, arruinarás la armonía y el equilibrio de las fuerzas. El resultado será que los fenómenos naturales trabajarán en contra de tu existencia. Si no tenemos respuestas correctas entre las partes y el todo, llamamos a la condición *enfermedad* o *dolencia*. La respuesta correcta es el método correcto para la asimilación de las energías del universo, y para expresarlas en acción creativa. El Maestro Tibetano en el libro, *Sanación Esotérica*, dice:

> *Si me preguntaras qué hay en realidad detrás de la enfermedad, de todas las frustraciones, el error y la falta de expresión divina en los tres mundos, Yo diría que es la separatividad la que produce las mayores dificultades que surgen en el cuerpo etérico, más la incapacidad de la forma tangible externa para responder adecuadamente a los impulsos internos y más sutiles.*
>
> Alice A. Bailey,
> *Sanación Esotérica,* p. 82

Debemos saber y entender que *todo existe*. Sólo podemos descubrirlo cuando empezamos a responder. La luz está allí, pero no podemos verla si somos ciegos. Hasta que no registremos la luz, no podremos ver la luz. Fue una gran conmoción para mí cuando de repente un día me di cuenta de que ¡todo *estaba ahí!* Sólo necesitamos *crecer*, amar, comprender, conocer, desplegarnos y *¡ser!* Así, las respuestas a todos nuestros problemas pueden ser encontradas a través de respuestas más profundas y elevadas a la Vida Superior dentro de nosotros y dentro del Cosmos.

A medida que nos acercamos a la armonía con nuestra Alma, la energía del Amor y la expresión del Amor aumentan. El amor da vida; el amor trae alegría; el amor crea armonía. Dentro de esa armonía, el hombre nace como Alma y está listo para llevar su rostro hacia su Hogar Eterno.

Psyche and Psychism, págs. 391-395

La humanidad está siendo bombardeada con literatura pesimista de fuentes oscuras que la envenenan. En esta literatura leemos que:

1. La tierra se romperá en pedazos;
2. La radiación atómica contaminará toda la tierra;
3. La guerra y las armas nucleares acabarán con la vida en el planeta; y
4. La moneda perderá su valor y la bancarrota será generalizada.

Estos y otros tipos similares de «noticias» paralizarán gradualmente el espíritu humano y apagarán la luz del corazón. Es obvio que la humanidad está pasando por un momento peligroso, por una crisis, pero es de esperar que esta crisis la ponga de nuevo en el camino correcto hacia la victoria y hacia un mayor logro.

La Sinfonía del Zodiaco, p. 131

Hay tres maneras de ver el mundo y los acontecimientos que ocurren a nuestro alrededor. Estas tres perspectivas son el optimismo, el pesimismo y el descuido.

Optimismo significa ver las tinieblas en el mundo, pero aún así saber que la luz puede venir, saber que una persona está enferma pero también saber que se puede encontrar un remedio; ver el edificio en llamas, pero ser capaz de apagar el fuego.

El pesimismo significa ver todas estas condiciones sin poder ver soluciones; darse por vencido ante los problemas y las dificultades.

Descuido significa tener apatía y no preocuparse de los obstáculos creados por el optimismo y el pesimismo.

La Enseñanza nos desafía a ver las condiciones de nuestro planeta y no ser atrapado por ninguna de estas perspectivas.

> *Las condiciones del mundo no han mejorado. No sin razón estás lleno de expectativas. El absceso está llegando a la cabeza. Estamos en vigilia, y el que está con Nosotros está a salvo. Pero estar con Nosotros significa conocer la Enseñanza; conocer, significa aplicar.*
>
> Agni Yoga Society,
> *Mundo Ardiente,* Vol. I, parr. 481

Esta es la condición del planeta en este momento. ¿Cuál debería ser nuestra reacción a esta condición?

...Precisamente en los días de grave enfermedad del planeta es importante llenarse de valor. A tientas uno no pasa, pero la espada puede romper los velos dañinos. El momento es muy grave, y es necesario intensificar todo el coraje.

Sociedad de Agni Yoga,
Comunidad, parr. 48

Valor significa estar de pie contra los obstáculos y encontrar formas y medios para aniquilarlos. La «espada» es tu verdad, tus valores espirituales, tu fe. Si tienen esa espada, pueden destruir los velos que se están formando entre ustedes y la realidad.

La gente ve la degeneración moral y espiritual en el mundo de hoy y se vuelve muy pesimista sobre el futuro del planeta. El reto del discipulado es ver la condición del planeta como realmente es, pero inspirar coraje en uno mismo y en los demás para que se pongan de pie y traten de mejorar la situación mundial.

Talks on Agni, pp. 322-323

Se sabe que la presencia de un trabajador de la Jerarquía puede prevenir terremotos y catástrofes naturales. Los trabajadores jerárquicos a menudo son enviados a ciertos lugares para proteger a la gente de los trastornos naturales por su presencia. Son enviados para restaurar la paz y la comprensión, para traer salud y prosperidad; pero permanecen desconocidos hasta que la gente desarrolle los ojos para ver su influencia.

Challenge for Discipleship, p. 507

2

LO QUE PODEMOS HACER

A través del trabajo
construimos el futuro.

El Reino de Dios es como una fábrica donde hay un presidente, una junta directiva y empleados. La fábrica tiene un presupuesto para un cierto período de tiempo y una cantidad fija de dinero que se puede utilizar o gastar.

También hay un horario para que los empleados terminen ciertos trabajos dentro de un tiempo determinado. Hay una expectativa de hacer tanto dinero, de pagar las cuentas, de enfrentar los gastos inesperados y de crecer en el futuro.

Si la fábrica no cumple con su horario y sus facturas, se desarrolla un déficit o la fábrica se declara en quiebra. Un déficit es una señal de que la gestión era mala, o de que los empleados no hicieron todo lo posible para cumplir con su trabajo, o de que había una gran pérdida de tiempo, energía y materia.

Si el propietario de la fábrica tiene la intención de continuar con su trabajo, tomará ciertas medidas para equilibrar el déficit y hacer que la fábrica cumpla con los gastos y ahorre dinero. ¿Cuáles son los pasos que el presidente puede dar? Puede minimizar los salarios de los empleados. Puede imponer más disciplina. Puede imponer una estricta economía de tiempo, energía, espacio y materia.

Todo esto es exactamente igual para la vida espiritual. El sistema solar y la galaxia son como fábricas en las que se desarrollan los negocios más nobles. En nuestro sistema solar, el Rey tiene Su fábrica, Su junta directiva, Sus supervisores y Su presidente. Él quiere que Su Reino se desempeñe de la mejor manera posible, para fabricar los mejores seres humanos que tengan las mejores relaciones entre sí y que aumenten la gloria del Rey con su propia gloria creciente.

La fábrica está construyendo, supongamos, sillas, y el tiempo límite para construir una silla es de cinco días, o cinco mil años... Si la silla no se construye dentro del tiempo establecido, hay un fallo en la fábrica.

El material de la silla es importante. ¿Con qué tipo de materiales estás construyendo la silla, para que pueda pasar la inspección o hacer felices a los compradores? ¿Tienes cuidado al usar el material que se te ha dado, o a menudo estás cortando trozos incorrectos de la madera y desperdiciando el almacén de materiales, lo que indirectamente aumenta el costo de la silla?

También es importante saber cómo estás construyendo la silla para metas a corto y largo plazo.

Nuestra vida es como construir una silla para el Rey. Debemos sentarnos y realmente averiguar cuánta energía, tiempo, materia y espacio hemos desperdiciado en estos millones de años, desde el estado de un átomo hasta el estado del ser humano. A veces la gente entiende cómo se puede desperdiciar el tiempo, la energía y la materia, pero no pueden entender cómo se puede desperdiciar el espacio.

El espacio puede ser desperdiciado lanzando en él todos los pensamientos indignos, llenándolo con la vibración de nuestro discurso negativo y con cosas que ya no son útiles. El espacio puede desperdiciarse usándolo para enviarnos mutuamente nuestra animosidad y nuestros malos sentimientos. Todos estos residuos serán cargados a nuestra cuenta. Así es como creamos un déficit; así es como vaciamos todos nuestros recursos, nos enfrentamos a una depresión severa o nos retrasamos en nuestro horario.

El horario del universo es el más exacto programado, y las Leyes de la Naturaleza siguen el programa exactamente. El Rey envía sus mensajes y fija la fecha para construir «las sillas». Por ejemplo, Cristo nos dio un límite de tiempo hasta el final del ciclo que culmina en el año 2000. ¿Hemos cumplido con nuestras obligaciones y construido nuestras sillas?

Podemos decir que la silla es el alma humana, y esta alma humana debe ser un «Hijo de la Luz» para el año 2000. Si es sólo una pata o unas pocas patas, no está completa, y el empleado habrá fallado en su deber. Y si la fábrica se retrasa en su horario, está en grandes problemas.

¿Cuánta energía, materia, tiempo y espacio usaste? ¿Cuánto trabajo has efectuado? ¿Cuánta energía, materia, tiempo y espacio desperdiciaste, o cuánta energía ahorraste para una expansión futura?

La silla debe estar terminada para el año 2000. ¿Está lista la silla? ¿Alcanzaste el estado de transfiguración durante este tiempo y te convertiste en Hijo de la Luz, o fallaste? ¿Comenzó a brillar tu luz?

Si fallamos, la junta de supervisores impondrá:

1. Impuestos.
2. Disciplina.
3. Economía.

Impondrá estas cosas para salvar a la fábrica de un desastre y eliminar la depresión y el déficit acumulado. Pero si terminas la silla antes de la hora señalada y pasas la inspección, serás elevado a nuevas posiciones, donde servirás al Plan en mayor capacidad y tendrás una comunicación más cercana con el jefe de la fábrica.

Veamos por qué surgió la depresión y el déficit. La razón es que los empleados que participaron en la construcción de la silla no hicieron su trabajo. Ellos desperdiciaron tiempo, energía y materia; o tal vez robaron; o tal vez no usaron sus habilidades y cayeron en las trampas de los placeres.

La junta te dio mucha energía sexual para que la usaras durante 50 años. La gastaste en diez años, o destruiste la máquina por la cual esta energía iba a ser usada, o la contaminaste con sífilis, gonorrea, SIDA, y similares... Has causado un daño terrible, no sólo a ti mismo, sino también a la fábrica... y has hecho fracasar al dueño de la fábrica en su horario... por lo que el Rey te impondrá impuestos, disciplina y economía.

Impuestos significa guerras, terremotos, incendios, tifones, epidemias generalizadas, erupciones volcánicas, y similares.

Disciplina significa más horas de trabajo con menos pago.

Economía significa menos placeres, menos posesiones, más compartir, aprender el valor de la vida, no desperdiciar.

Si un empleado llega tarde, debe ponerse al día. El horario debe cumplirse por todos los medios, porque el Rey está comprometido con otros Reyes a culminar su labor, para no perturbar la labor solar y galáctica...

Por tantos años, corriste tras la llamada de tu ego, vanidad, placer e intereses materiales. Preferiste los placeres a la sabiduría. Preferiste tu interés material más que el Reino de Dios. Dijiste: «Es mejor cuidar de mis burros y gallinas que compartir la luz una vez a la semana». Dijiste: «Es mejor admirar mi cuerpo que ir a escuchar palabras de advertencia...». Y de repente empezaste a ver la sombra del Rey y a darte cuenta de lo tarde que llegas a tu camino de perfección.

Debido a esto, nuestros impuestos serán elevados, la disciplina será elevada y la economía será muy estricta. La silla debe estar terminada, y ¿cuál será el estado de nuestra vida si la silla está terminada?

Tendremos pureza de motivos, pureza de pensamientos, pureza de emociones, pureza de acciones y cuerpos sanos; y nuestra luz irradiará. Con todo esto, lograremos continuidad de consciencia. Tendremos la experiencia del encuentro con el Anciano de los Días, el Rey. Tendremos experiencias Ashrámicas y la habilidad de recordar las instrucciones que nos han dado. Tendremos dirección y la alegría de esforzarnos.

Todos nuestros problemas físicos, emocionales, mentales y morales son el resultado de no poder manejar la energía, el tiempo, la materia y el espacio de la manera correcta y económica. Cuando nos quedamos atrás en el horario, el espacio acumulado entre nosotros y el tren en movimiento será una fuente de dolor y sufrimiento continuo –un infierno. Caeremos más profundamente en la oscuridad y la materia.

Cristo nos explicó esto y nos dijo lo que pasaría si llegamos tarde. Nos dijo que las puertas del Reino estarán cerradas, y que nos quedaremos *fuera.* No participaremos en la gloria que está ocurriendo en el interior y seremos presas de las fuerzas caóticas de la naturaleza, las cuales eventualmente nos triturarán y destruirán...

En una de sus parábolas Él dijo: «El Reino de Dios es como un árbol. Las ramas que están muertas, Mi Padre las corta y las quema...». Las ramas muertas son aquellos que no se nutren continuamente con la energía, sabiduría y belleza del árbol. No produjeron frutos y murieron. Cuando este es el caso, el jardinero viene y dice: «Déjame cortar estas ramas muertas y quemarlas».

Challenge for Discipleship, pp. 287-289

La abundancia en el universo es constante. La forma esférica de los cuerpos celestes revela un gran secreto. Nuestra puesta de sol es un amanecer para otros. Su amanecer es una puesta de sol para nosotros, pero todo es cíclico. El Conocedor organizó las cosas de tal manera que aquellos que trabajan y laboran y siembran también cosechan de acuerdo con las semillas y la calidad de la labor. Pero los ciclos siempre están ahí.

Hay una primavera en cada fenómeno de la vida. Está el verano; está el otoño; está el invierno. Pero recuerda, para otros, tu verano es su invierno... y así sucesivamente.

No hay depresión ni inflación en el universo.

Si no tenemos riqueza espiritual o prosperidad, todo lo que acumulamos como prosperidad material irá en contra de nuestros propios intereses y eventualmente nos derribará. Esto es lo que estamos viendo en nuestra vida contemporánea. Todo lo que encontramos y tenemos está poniendo en peligro nuestra supervivencia a través del envenenamiento y la contaminación de la naturaleza, a través de la radioactividad, las depresiones, los crímenes, y a través del peligro de una guerra global y de la destrucción. Pero es interesante que cuando el hombre llega a un callejón sin salida y se hace prisionero de sus inventos y entra en su propio ataúd, la Naturaleza toma el control y se recicla a Sí misma y le da a la humanidad una nueva oportunidad de discriminar y elegir el sendero de su ascenso.

El reciclaje de la Naturaleza significa terremotos masivos, sumersión de continentes y calamidades naturales generalizadas.

La gente piensa que la Naturaleza sólo recicla el universo material. Es interesante saber que la Naturaleza también recicla la contaminación de nuestras emanaciones emocionales, mentales y morales, y nos da una nueva oportunidad para continuar en el camino de nuestra evolución. Este reciclaje de la contaminación o de las fuerzas emocionales, mentales y morales no se hacen sin pago. El hombre paga por todo lo que hace contra la naturaleza a través de su dolor, sufrimiento, ignorancia y retraso en el Sendero al Hogar.

La Fuente de la Prosperidad, págs. 10-11

Así como los seres humanos programan sus computadoras y hacen que sus aviones y naves espaciales vayan en ciertas direcciones, así también el Espíritu Creativo programó la Chispa en el hombre para hacer que eventualmente regrese al Hogar con experiencia, sabiduría, servicio y victoria. El ser humano está programado para ser como su Padre, de la misma manera que una bellota está programada para ser un roble.

En cada persona hay una luz roja que emite señales cada vez que él trabaja en contra de esta programación. Esta luz roja representa simbólicamente la consciencia. No importa dónde se encuentre una persona en el camino hacia la perfección, esta luz parpadea cada vez que actúa, siente, habla o piensa en contra de la belleza, la luz, el amor, la bondad, la alegría, la libertad, la justicia o la perfección. Pero tiene libre albedrío. Él puede seguir el camino destinado, o perder el camino y vagar en la oscuridad. Este mecanismo de dirección, que actúa como un instinto profundo de esforzarse hacia el mejoramiento, el desarrollo y la perfección, puede ser dañado e inutilizado cada vez que el hombre actúa contra él. Si tales acciones continúan, eventualmente el mecanismo no funciona más y la persona pierde su dirección.

La gente piensa que hay millones de direcciones, pero en realidad hay una dirección que lleva al hombre a su Verdadero Ser –y al Hogar, al Gran Espíritu. Toda acción que ayude al hombre a encontrar tal dirección está en armonía con su destino interior.

Además de este mecanismo, otra poderosa facultad es dada al hombre, y puede llamarse «libre albedrío» o libertad de elección. Este es el mecanismo más peligroso, a través del cual el hombre puede deambular consciente o inconscientemente en la oscuridad, o tratar voluntariamente de cumplir su destino interior.

Algunos filósofos piensan que el hombre es en esencia bueno o esencialmente parte del Espíritu Todopoderoso, y que, si se le presentan condiciones favorables, seguirá el camino que le está destinado desde los albores de la existencia. Ves las flores girando hacia el Sol. Ves insectos, pájaros y peces dotados del sentido de la orientación. Encuentran su camino usando las corrientes magnéticas de la Tierra. Los científicos descubrieron todas estas cosas, pero nunca intentaron encontrar el sentido de dirección localizado en el hombre, el cual lleva al hombre –si no está perturbado o malogrado– al camino de la perfección, hacia la luz, el amor, la belleza, la bondad, la alegría, la libertad y la justicia.

Nuestras palabras también pueden verse afectadas por las condiciones atmosféricas si la «computadora» no está actualizada. Las tormentas eléctricas en el Espacio crean vacíos y densificaciones de energías. Estos son factores externos que producen efectos destructivos en la Tierra. Por otro lado, los terremotos, la sumersión de continentes, tifones, tornados y similares, son el resultado de perturbaciones en la atmósfera de la Tierra causadas por nuestros pensamientos, palabras y acciones destructivas, negativas y separatistas.

Cada discípulo puede contribuir al equilibrio de fuerzas y energías en el Espacio a través de sus correctas palabras, las cuales están cargadas con belleza, bondad, justicia, alegría y el espíritu de libertad.

Cada vez que hablamos, enviamos sonido a través de uno de nuestros centros etéricos, astrales o mentales. Cada palabra está relacionada con algún centro y lleva la sustancia de ese centro al aura y al Espacio.

Cada centro tiene su propia sustancia particular con su color particular. Si nuestras palabras son elevadas, el color de la sustancia de dicho centro se vierte en nuestra aura con su flujo vigorizante y le añade un nuevo color. Si nuestras palabras están en contra de la luz, el amor, la belleza, la bondad, la justicia, la alegría, la libertad y la perfección, invierten la rotación o los engranajes de los centros y producen toxinas en ellos, llevan luego estas toxinas hacia el aura a través de canales etéricos. Los canales etéricos, a su vez, se contaminan. Cuando los chakras se invierten y están produciendo veneno, gradualmente afectan a sus correspondientes glándulas y órganos, y las enfermedades ponen sus semillas en ellos.

Cuanto más avanzada está una persona, mayor es el daño que puede causar a sus mecanismos físicos y sutiles a través de su habla. Si una persona se dedica a la malicia, la calumnia y el odio, carga sus palabras con los venenos de la malicia, la calumnia y el odio. No es mejor que alguien que se está preparando para suicidarse.

Nuestro cuerpo vive, se mueve y tiene su ser en nuestra aura. Cuando nuestra aura está polucionada y contaminada por venenos producidos por nuestras acciones, emociones, pensamientos y palabras negativos, no puede sostener la salud del cuerpo, así como nadie puede vivir mucho tiempo en un estanque contaminado.

La mayoría de la gente pone en su estanque de fuerzas o en su aura toda clase de venenos, como el odio, el miedo, la ira, la avaricia, los celos, la venganza, la vanidad, el egoísmo, la malicia y la calumnia. Luego intentan por todos los medios estar físicamente sanos. La salud física en tales condiciones es una imposibilidad, al igual que la salud psicológica, moral y espiritual.

La gente debe darse cuenta de que respiramos a través de nuestras auras. Si nuestras auras están contaminadas, la sustancia dadora de vida del sol y las estrellas se contaminará cuando intentemos inhalarla.

La computadora programada se agita o perturba cada vez que agitas tu aura o actúas, piensas, sientes o hablas en contra de la luz, el amor, la belleza, la bondad, la justicia, la alegría, la libertad y la perfección. Desafortunadamente, durante muchos miles de años la humanidad perturbó e inutilizó casi por completo sus computadoras internas. Puedes ver cómo la gente, los grupos, las naciones y la humanidad en su conjunto perdieron su dirección y se están preparando para un suicidio global.

El Gran Espíritu envía cíclicamente a los Grandes Seres para reajustar el sentido de dirección de la humanidad a través de Su Enseñanza y ejemplo. Hace dos mil años, Cristo reajustó las computadoras de un puñado de personas y las envió como ovejas entre lobos, entre personas que ya habían perdido el sentido de la orientación. Durante algunos siglos funcionó y unos pocos miles de personas realmente se volvieron hacia la luz... pero de nuevo las tinieblas se asentaron sobre la humanidad, a pesar de que muchos discípulos continuaron viniendo y trataron de reparar las computadoras de la consciencia humana.

Es extraño que la educación no pueda restaurar nuestro sentido de orientación inicial. La ciencia tampoco puede hacerlo. La religión en su forma actual incluso perturba el sentido de la dirección. ¿Cómo podemos encontrar y restaurar el sentido de la dirección? La respuesta es muy clara: a través de la palabra correcta, la meditación, la observación y el servicio sacrificado. Estas son cuatro maneras en las que se puede restaurar el sentido de la dirección; pero la más grande es la palabra correcta.

La condición en nuestra Tierra es muy desalentadora, y sobre todo es el resultado de palabras equivocadas en muchas formas. Lee los periódicos, ve la televisión, escucha la radio, lee el flujo de libros que llenan las librerías y te convencerás de que la computadora del alma humana está dañada y que la programación ha sido falsificada. Sin embargo, la luz roja de advertencia sigue allí. La mayoría de las personas sigue recibiendo advertencias de la luz roja. Saben que lo están haciendo mal, pero de todos modos siguen haciéndolo mal.

Si la gente presta atención a esta luz y hace esfuerzos sinceros para detener sus acciones y sus palabras equivocadas, gradualmente mejorarán la condición de la computadora y restaurarán su sentido de la dirección.

Challenge for Discipleship, pp. 396-398

...Hace dos mil años se señaló que el Fuego devoraría la Tierra. Hace muchos miles de años, los Patriarcas advirtieron a la humanidad del peligro ardiente. La ciencia no ha prestado atención a muchas señales. Nadie está dispuesto a pensar a escala planetaria. Así, Nosotros hablamos antes del tiempo in-

creíble. Uno todavía puede no escapar de la última hora. La ayuda puede ser extendida, pero el odio no será un sanador.

Agni Yoga Society,
Mundo Ardiente, Vol. II, para. 9

El «tiempo increíble» está frente a nosotros. Es el tiempo de la guerra atómica, del cataclismo natural, de la depresión, del odio, del desempleo, de la degeneración de la moral. Es el momento del aumento de la delincuencia, el abuso de drogas, la contaminación, etc. Cuando los resultados de todo esto se combinan, tienes el «tiempo increíble» –el Armagedón de los videntes.

Los científicos se han mantenido ocupados inundando el mercado con sus inventos, pero han prestado poca atención al creciente cinturón de contaminación alrededor del planeta. Se nos dice que esta acumulación de cinco a diez millas de gases puede un día encenderse y prenderse fuego, y el planeta, con todos sus científicos, puede quemarse hasta las cenizas. Nadie se salvará si esta locura de jugar con la Naturaleza continúa.

Antes de esa hora asombrosa, es posible cambiar la dirección de la vida a través del amor y la alegría, lo que llevará al planeta a la cordura, la salud, la pureza y la belleza. Para trabajar por el bienestar de una humanidad, debemos revisar nuestras vidas y ver si hay un creciente gozo y amor detrás de todo lo que pensamos, sentimos y hacemos.

Alegría y Curación, p. 147

Muchas condiciones en la vida humana pueden ser el resultado de turbulencia Cósmica sobre las cuales el hombre no tiene control. En el futuro será posible pronosticar perturbaciones planetarias, fuego, hambruna, clima y epidemias simplemente observando las esferas electromagnéticas del hombre sobre las cuales se reflejarán las turbulencias Cósmicas, registradas por el corazón, el cerebro, las glándulas y los centros, y proyectadas en la pantalla del aura. Así, el hombre es un reflector de los eventos Cósmicos y hasta ahora no es capaz de controlar las consecuencias de las ondas de presión que vienen del Cosmos.

En el futuro, cuando el hombre aprenda más sobre el mecanismo sutil que posee, y cuando conscientemente registre e interprete las impresiones que le llegan, será capaz de transmutar y transformar estas impresiones y usarlas para expandir su consciencia; para mejorar su salud y condiciones sociales; para penetrar en las capas más profundas de la consciencia, permitiéndole manipular las leyes y energías del Cosmos para promover el propósito de la Creación. Una gran ola en el océano es una gran catástrofe para ciertos hombres, pero es una delicia para un surfista experto.

Es el momento ahora de registrar diariamente todas nuestras sensaciones inusuales. Al registrarlas, agudizaremos nuestra capacidad de impresión y, con el tiempo, seremos capaces de traducir el significado de estas sensaciones y predecir nuestras acciones futuras. Así estaremos más cerca del Cosmos, y el Cosmos se registrará más claramente en nosotros y nos conducirá por el Sendero al Infinito.

Cosmos in Man, pp. 15-16

El hombre aún no ha aprendido
que puede
generar energía
con sus pensamientos
y puede mover objetos,
detener los vientos,
despejar el cielo
y traer la luz del sol
a los hogares.

Hiawatha and the Great Peace, p. 4

En nuestra atmósfera mental tenemos formas mentales superiores que son el resultado de pensar o responder a las energías del Alma y de las Fuentes Superiores, y también tenemos formas mentales inferiores construidas mecánicamente por la sustancia mental inferior a través de los impulsos que vienen de los centros inferiores, como el plexo solar o los órganos generativos. Todas estas formas mentales están unidas al creador por algún tipo de hilo etérico. Se nos dice que es el conflicto de estos dos tipos de formas de pensamiento el que es responsable de tantos problemas mentales.

Nuestros pensamientos incluso afectan a la naturaleza. No te sorprendas si un día un verdadero científico demuestra que los terremotos, las plagas, el hambre y otros fenómenos destructivos de la naturaleza son el resultado de pensamientos humanos «separatistas y maléficos».

Pensar es la manipulación de un tipo superior de energía electromagnética en la naturaleza. La sustancia mental tiene una afinidad muy estrecha con las energías que controlan el equilibrio del planeta, el clima y el paso de las energías a nuestra vida planetaria. Es por eso que la meditación es la verdadera ciencia de la supervivencia.

Es imperativo que el alma humana en desarrollo trate de discriminar entre los pensamientos que provienen de sus planos mentales inferiores (que son formas mentales reflejadas que provienen de varias fuentes), y aquellos que provienen de su Alma, de su Ashram y de su Maestro.

Después de que él es capaz de encontrar las verdaderas fuentes de estas corrientes de pensamiento, las usará, las rechazará, o las reformará de acuerdo con la necesidad. Todas estas actividades a menudo son llamadas *«pensar»*, pero esotéricamente esto es sólo el comienzo, porque el alma humana todavía no está liberada del dominio de sus tres vehículos inferiores; aún así su deber (dharma) es hacer la Voluntad de su Ángel Solar.

El hombre alcanza la etapa más elevada de pensamiento en la Cuarta Iniciación. Después de eso, el pensamiento es la manipulación de las energías átmicas y búdicas a través del conocimiento directo o la percepción intuitiva para crear en línea con el Propósito Divino y formularlo en el Plan para promover la meta de la evolución en planos cada vez más elevados. Y esto es lo que aprendemos a hacer en la meditación.

La Ciencia de la Meditación, pp. 59-60

El espacio está lleno de formas mentales flotantes que oscilan entre la luz y la oscuridad, el amor y el odio, la belleza y la fealdad.

En nuestra atmósfera no sólo tenemos niebla, bruma, polvo, esmog y nubes de varios tipos, sino que también tenemos acumulaciones que oscurecen, proyectadas por cerebros aberrantes que envenenan la atmósfera y condicionan las mentes de la gente y sus relaciones. Estas formas mentales, como una epidemia, extienden su influencia en cualquier momento, en cualquier lugar, si cumplen con las condiciones y los mecanismos apropiados de expresión. Estas formas mentales están construidas en su mayoría de sustancia mental de bajo nivel y son la fuente de muchas ilusiones. Controlan el comportamiento de las turbas y, una vez que encuentran acceso, se convierten en una inundación y causan destrucción y agitación social.

La verdadera meditación arroja luz sobre estas acumulaciones de pensamiento y causa desintegración desde su interior. Si la meditación es continua y de alta frecuencia, las disipa y limpia la atmósfera, prestando así un estupendo servicio a la humanidad.

Esto se hace de dos maneras: invocando energías más elevadas desde reinos abstractos y dirigiéndolas hacia estas formas mentales acumuladas y venenosas, o enfocando la luz individual o, preferiblemente, la luz grupal de la razón pura sobre estas ilusiones y espejismos.

Muchos imperios y naciones son destruidos por estas oscuras acumulaciones de energías de pensamiento. Hay una historia inteligente en la Biblia que alegóricamente señala este hecho. Dice que había dos ciudades, llamadas Sodoma y Gomorra, cuyos habitantes eran muy corruptos; de ahí que el Señor decidiera limpiar el lugar infectado con fuego. La Voluntad del Señor fue dada a conocer a Abraham quien le rogó al Señor que salvara la ciudad si cincuenta hombres justos eran encontrados allí. El Señor estuvo de acuerdo, y Abraham suplicó una y otra vez hasta que se decidió que las dos ciudades no serían destruidas si encontraban diez hombres justos en ellas. Pero sólo había una familia: Lot, su esposa y sus dos hijas, a quienes se les permitió escapar del fuego (*Génesis* 18, 19).

Esta historia muestra claramente que los Antiguos conocían el poder del pensamiento y las emociones, y que era posible que la gente se destruyera a sí misma con un pensamiento equivocado. La energía negativa y destructiva causa perturbaciones en el campo electromagnético en el que gira la tierra, causando terremotos, inundaciones, erupciones volcánicas, aberraciones, locura y muchos tipos de males físicos dentro de la humanidad.

Tú has visto cocinas, dormitorios o salas de estar donde uno puede perder la cabeza debido a condiciones desorganizadas y aire contaminado. A menudo tales condiciones existen dentro de nuestro cuerpo mental, y sus efectos provocan la mayoría de nuestras enfermedades psicosomáticas y desajustes sociales. Trae belleza y orden a la mente y tendrás belleza, salud y mejor comunicación en tu vehículo, en tu entorno, así como mejores condiciones en el planeta.

La Ciencia de la Meditación, pp. 25-27

La meditación es un acto de transmitir al espacio lo más alto que puedas alcanzar. Ideas, pensamientos, visiones, inspiraciones y fórmulas de gran valor viajan alrededor de la Tierra más rápido que la velocidad de la luz y difunden su influencia benevolente. Cada vez que hagas meditación, recuerda esto. La meditación mantiene el equilibrio entre los mundos subjetivo y objetivo.

Grandes cataclismos ocurren cuando este equilibrio es destruido. Aquellos que se esfuerzan hacia la belleza, la bondad, la luz, la alegría, la libertad, no sólo enriquecen sus vidas, sino que también traen equilibrio y balance entre el mundo de las energías y el mundo de las formas.

Grandes catástrofes ocurrieron muchas veces en esta Tierra cuando la gente olvidó los valores espirituales y dirigió su atención a la materia, la codicia y los placeres terrenales. Ellos se olvidaron del contacto con los Mundos Superiores, y el equilibrio fue destruido. El cataclismo siguió en las zonas donde el equilibrio ya no existía.

A través de la meditación no sólo protegemos nuestro cuerpo y nuestro hogar, sino también nuestra Tierra, y esto es un gran servicio para la humanidad.

Meditation Course, Lesson II,
«Service», pp. 20-21

En muchas ocasiones dos o tres personas tienen el mismo sueño. En 1976 vino un amigo mío y me dijo: «Debemos mudarnos a otro estado porque la mayor parte de este estado se va a hundir en el océano», y describió en detalle cómo sucedería.

Unos días más tarde dos mujeres vinieron y hablaron de un sueño similar, y agregaron: «La catástrofe ocurrirá el 14 de marzo, y si quieres salvar tu vida, debes mudarte a otro estado». Unos días después se fueron y no pasó nada.

Tales sueños a veces se transfieren telepáticamente de una mente a otra durante el sueño. A veces varias personas presencian el mismo acontecimiento astral o mental y lo traducen de manera similar. Sucede también que una advertencia es «televisada» desde Fuentes Superiores y los sensitivos la captan como si fuera televisada.

Si el sueño no se realiza, uno puede pensar que el sueño fue televisado ya sea por fuerzas oscuras, o por aquellos que construyen una fuerte imaginación y la transmiten en el plano astral.

También puede suceder que, debido a varias noticias, publicaciones y conversaciones sobre terremotos, una forma mental finalmente se construye de una manera tan dramática que actúa como un agente impresionante en muchos sueños. En tales casos es muy raro tener sueños similares, porque la mayoría de nosotros tienen diferentes traductores dentro de nuestra naturaleza, pero el marco principal parece ser el mismo.

El miedo colectivo de miles de personas, junto con la imaginación, produce varios tipos de sueños depresivos e impide que el alma humana disfrute del brillo solar de los contactos superiores. Tales sueños telepáticamente son muy contagiosos y oscurecen los corazones de muchas personas sensibles.

En la Sabiduría Eterna se nos dice que, para poder escapar de las influencias de tales presiones colectivas, uno debe elevar la mente y el corazón a las esferas superiores, y visualizar los mundos lejanos a través de la meditación o la lectura contemplativa antes de dormir. Lo mismo debe hacerse temprano en la mañana para escudarse de tales formas de pensamiento contagiosas.

Psyche and Psychism, p. 321

3

UNA MEDITACIÓN PROTECTORA

En tiempos de crisis, catástrofes naturales, terremotos, revoluciones y anarquía, vemos distorsionado el patrón energético de la esfera. Estas distorsiones o perturbaciones surgen cuando las corrientes magnéticas y energéticas de la Tierra tratan de ajustarse a las corrientes solares y galácticas.

El hombre como átomo está sujeto a estas corrientes de energía y reacciona violentamente con perturbaciones morales, físicas y mentales. Pero puede escapar de tal peligro poniendo su consciencia en acción a través de la meditación. La meditación se convierte en una práctica de surf en los momentos difíciles.

La meditación te equilibra. Te da valor y audacia, intrepidez y energía.

Para hacer tal meditación:

1. Siéntate con las piernas cruzadas.
2. Relájate – física, emocional y mentalmente.
3. Visualiza una montaña.
4. Visualiza que estás sentado en la cima de la montaña bajo un árbol.
5. Di la Gran Invocación en voz alta.

LA GRAN INVOCACIÓN

Desde el punto de Luz en la Mente de Dios
Que afluya luz a las mentes de los hombres.
Que la Luz descienda a la Tierra.

Desde el punto de Amor en el Corazón de Dios
Que afluya Amor a los corazones de los hombres.
Que Cristo retorne a la Tierra.

Desde el Centro donde la Voluntad de Dios es conocida,
que el Propósito guíe las pequeñas voluntades de los hombres.
El Propósito que los Maestros conocen y sirven.

Desde el centro que llamamos la raza de los hombres
Que se realice el Plan de Amor y de Luz
Y selle la puerta donde se halla el mal.

Que la Luz, el Amor y el Poder restablezcan el Plan en la Tierra.

6. Pronuncia tres OMs.
7. Medita en lo siguiente:
   a. El amor del Infinito está en mí. Yo soy el amor de Dios. Dios es mi amor.
   b. La alegría del Infinito es mi esencia. Que la alegría irradie a través de mí en todas las condiciones.
   c. Belleza soy yo. Mi belleza es el imán de las fuerzas benevolentes del universo. Mi belleza es el florecimiento del Infinito. Que la belleza se extienda por todo el mundo.

d. Soy una fuente de entusiasmo. Soy armonía, ritmo. Soy llama. Yo irradio el ritmo del Corazón Cósmico. El Eterno en mí siempre es y será para siempre.

Nota: Estos son los pensamientos simiente sobre los que se meditará sucesivamente. Cada pensamiento semilla será para una semana, pasando luego al siguiente. Puedes continuar por tres meses, o tres años.

8. Después de la meditación, di:

Sea yo conducido
de la oscuridad a la Luz,
de lo irreal a lo Real,
de la muerte a la Inmortalidad,
del caos a la Belleza.

Psyche and Psychism, págs. 677-678

4

ESPERANZA

A través de la labor damos a luz
a eso
que es mayor
que lo que somos
antes de la labor.
La labor nos ayuda
a trascendernos a nosotros
mismos.

Uno se pregunta por qué en nuestra reciente psicología y psiquiatría no se puede encontrar ningún estudio o discusión seria sobre la esperanza. La esperanza ciertamente tiene un gran efecto en nuestras emociones, nuestras glándulas y nuestro comportamiento. La esperanza puede cambiar la química de las secreciones de las glándulas y el estado de la circulación sanguínea. Libera energía de ciertos centros etéricos y nos da valor y fuerza, trayendo grandes cambios en nuestro campo electromagnético o aura.

La esperanza crea un estado de ánimo en el que el hombre busca y se esfuerza continuamente por encontrar una solución, y debido a esta tensión positiva, su Yo Superior responde y trae la luz necesaria.

La esperanza evita que las formas mentales negativas se construyan a sí mismas dentro de tu aura. Las formas mentales negativas son la causa de muchos fracasos. La esperanza crea una esfera de consciencia en la que las formas de pensamiento negativas no pueden reproducirse. Cuando la consciencia está libre de formas de pensamiento negativas, las impresiones superiores pueden alcanzarla y registrarse en ella.

La mayoría de nuestros fracasos son el resultado de formas mentales de derrota o fracaso. No sólo las creamos, sino que las importamos de nuestros amigos y enemigos. Las formas mentales de fracaso importadas y creadas literalmente se comen y destruyen cualquier forma mental positiva o constructiva. Muchas personas tratan de tener éxito; pero cuando el éxito se acerca, se dan por vencidos porque las formas mentales del fracaso invierten la marcha en su camino.

La esperanza impide tal acción. No sólo nutre las formas mentales constructivas, sino que también las difunde, creando así una atmósfera magnética a su alrededor.

La esperanza continúa incluso si logras el objeto que esperabas. Al alcanzarlo, la esperanza te deja para entrar en una dimensión diferente y te hace buscarla. De este modo, eres conducido de una dimensión a otra debido a la esperanza que es alcanzable y debido a una esperanza que todavía es inalcanzable.

Por otro lado, cuando ves la evaporación de tu esperanza, **ésta** no se desvanece, sino que aparece en otra esquina en otra forma y te anima a seguir sus pasos. Por lo tanto, ya sea que alcances tu esperanza o la pierdas, siempre está en el jarrón de Pandora.

El poder de la esperanza se basa en el hecho de que no es un atributo sino más bien el sentimiento de la existencia del Ser Verdadero, danzando y jugando con cada objeto de esperanza, escondiéndose y reapareciendo detrás de cada interés para desafiarte para tu futuro. La esperanza es la voz del futuro, el hilo del Ser Verdadero, trayendo Su reflejo que está vagando en los mundos inferiores. Esta es la razón por la que la esperanza siempre está ahí, ya sea que se alcance o se pierda.

Una persona, un grupo o una nación avanzan debido a la esperanza. La esperanza crea una atmósfera adecuada en la que el crecimiento y el desarrollo son posibles.

Hay tres tipos de personas influyentes:

1. Los primeros son los que hablan de fatalidad, sobre la destrucción final, sobre la aniquilación; los que infunde miedo en los corazones de la gente, usando el miedo para controlarlos o explotarlos. Estas personas se encuentran en todas partes, hablando del desplazamiento del eje de la Tierra, de inundaciones y terremotos, y de las numerosas enfermedades que supuestamente van a engullir a la humanidad.

Algunas de estas personas son falsos profetas. Algunos de ellos son pesimistas. Algunos de ellos tienen intereses ocultos detrás de sus palabras. Ellos esparcen veneno, y este veneno afecta tu sistema nervioso y tu corazón y rompe las alas de tu alma.

2. El segundo tipo de personas son las que son muy sonrosadas y «buenitas». Todo es hermoso y perfecto para ellas. Están satisfechas con la vida. No importa lo que suceda, se sienten seguras, contentas y felices; y duermen bajo el manto de su bondad hasta

que llega la inundación y las arroja al océano. Uno de mis Instructores solía decir que esa gente entra en el infierno sin notarlo mientras duerme.

Tales personas permiten que el mal eche raíces y se ramifique en una inmensidad tal que las personas de buena voluntad se encuentran incapaces de luchar contra él y de detener su crecimiento. Debido a su ingenuidad, indirectamente fomentan ese tipo de actividades que finalmente llevan a la gente a la destrucción.

Estas personas no son sólo tontos optimistas, sino también cobardes, que se esconden detrás de sus intereses egoístas y dejan que el mal crezca en torno a ellos.

3. El tercer tipo de personas son aquellas que ven el peligro, la corrupción, la contaminación y el mal del totalitarismo y toman medidas conscientes para prevenir su expansión, sin pesimismo, pero con un optimismo inflamado. Ellos ven la situación claramente. Ellos ven las dificultades y obstáculos en el camino. Ellos ven el creciente poder del mal; pero nunca pierden su esperanza de victoria sobre el mal.

Tienen la experiencia de que la oportunidad de progreso viene cuando hay crisis y obstáculos, contra los cuales el hombre camina con esperanza y determinación para ganar la victoria. Este tercer tipo de personas pertenece a la raza de los héroes. Saben que en horas inesperadas la *ayuda* les llega y que al borde del abismo les echan una *mano*. Ellos sienten que todos los eventos que ocurren en la Tierra son observados por las Fuerzas Superiores. Saben que existen recursos energéticos superiores que, en momentos inesperados, vienen al rescate.

La sustancia de la esperanza hace posible este trabajo de rescate. La esperanza provee la atmósfera correcta a través de la cual los fuegos del espacio nos alcanzan. No es el pesimismo ni el enfermizo optimismo lo que proporciona este canal, sino la esperanza real, que es el fundamento del verdadero optimismo.

Desafortunadamente, nuestros diarios y programas de radio y televisión perpetúan el espíritu pesimista y día y noche lo alimentan con sus noticias sombrías y con películas de violencia y destrucción. Después de leer el periódico de la mañana y escuchar las noticias en la televisión, te llenas del espíritu de pesimismo y negatividad; pierdes la esperanza de vida; y al día siguiente tu cuerpo produce veneno o *imperil*[3]. Una vez que te envenenas, tu apretón de manos se vuelve venenoso; tu olor se vuelve venenoso. A todo lo que tocas, le impartes veneno. Llevas veneno a tu oficina, taller y hogar. Día tras día aumentas tu veneno y finalmente te derrotas a ti mismo con tu pesimismo.

Aquellas personas que transforman las crisis en un proceso de purificación y oportunidades de transformación, victoria y logro, se les llama «las esperanzas» de la nación y del mundo, que se sitúan frente a la humanidad como senderos que conducen a mayores logros, a nuevo coraje, audacia y esfuerzo.

Al leer y escuchar acerca de estas personas, nos llenamos de nuevas esperanzas y pensamos: «Si ellos lo lograron, si ellos conquistaron en esas difíciles condiciones, nosotros también podemos lograrlo y conquis-

3. N. del T: Imperil es un término utilizado por el M. Morya para referirse a cierta sustancia producida por los estados de ánimo negativos, la ansiedad y el estrés, que recubre los nervios y el sistema nervioso causando efectos indeseados en el organismo.

tar». Así nos convertimos en una fuente de esperanza para nosotros mismos y para los demás.

Cuando las tinieblas descienden sobre nuestro sendero; cuando estamos perdidos en las noches oscuras de nuestra vida; cuando sentimos que todo está perdido en el caos, todavía vemos una luz distante, la luz de la esperanza –que brilla y nos inspira a seguir adelante y lograr la victoria. Esa luz distante es nuestro Guía Interno, que pasó muchas noches oscuras y que sabe que cada uno de nosotros debe luchar por su propia victoria.

La esperanza es una confianza subconsciente y superconsciente de que todas las posibilidades existen. Mientras tu mente concreta se rinde, tu mente subjetiva sigue buscando una solución o una respuesta. Tal labor se llama *esperanza*. Imagino el acto de esperar como una antorcha llevada en tu mano derecha en la oscuridad a través de intrigantes cuevas, para encontrar el pasaje que conduce a la luz del sol.

Challenge for Discipleship, págs. 488-490

Los efectos psicológicos y fisiológicos de la esperanza son:

- Equilibrio mental.
- Estabilidad en condiciones confusas.
- Control sobre los elementos negativos en nosotros y a nuestro alrededor.
- Aspiración.
- Regocijo.
- Fuerza física.
- Mejor circulación de la sangre.
- Coraje y audacia.

- Regulación de las glándulas y de las funciones de los órganos.
- Sanación.
- Inspiración.

La esperanza crea magnetismo espiritual, el cual toma inspiración o dirección clara de las Fuentes Superiores. La esperanza mantiene la visión de logro en nuestros corazones a pesar de todas las condiciones y así mantiene viva nuestra aspiración hacia la visión.

Nuestra esperanza puede tener un efecto muy positivo en las personas que obstaculizan nuestro éxito. Derrite sus actitudes negativas y crea un impulso en ellos que permita abrir nuestro sendero y ayude en nuestros esfuerzos para cumplir nuestro destino conjunto. Por ejemplo, si yo espero ser capaz de cooperar con cierta persona, naturalmente le envío pensamientos de cooperación. Esos pensamientos debilitan gradualmente su actitud negativa hacia mí, y eventualmente él coopera conmigo. La esperanza llega a su alma, y su alma lava el antagonismo de la personalidad.

La esperanza es energía psíquica. Utiliza el pensamiento de manera constructiva.

Los pensamientos desesperados nunca llegan a su destino.

La esperanza cambia las corrientes de energía destructivas hacia fines constructivos. La esperanza da la posibilidad a las Fuerzas Superiores de alcanzarte, de impresionarte y de guiarte. La desesperanza es como vivir bajo una espesa niebla: los rescatistas no pueden verte desde la cima de la montaña. La esperanza da una señal a las Fuerzas Superiores para alcanzarte y fortalecerte.

Cuando estás lleno de esperanza, combates contra todas las formas de pensamiento feas y derrotistas enviadas por las fuerzas oscuras y por amigos fallidos o enemigos. Estas formas mentales no pueden penetrar y controlar tu pensamiento mientras tu esperanza esté viva.

Cierta vez unos cuantos ladrones planeaban robar una casa. Después de subir a la cerca y entrar en el patio, uno dijo: «Hay una luz en el interior. Alguien está despierto. No podemos hacerlo hoy». Y retrocedieron. La esperanza es como esa luz en la casa que repele a los ladrones.

La esperanza envía señales a los amigos de la Tierra y de los Mundos Superiores para que apresuren nuestro rescate. Crea líneas de comunicación entre las personas y los mundos. La esperanza se esfuerza hasta el final, y cada final se convierte en un principio. Algún día la gente verá en una pantalla como la esperanza crea ondas cerebrales armoniosas y coloridas y estabiliza las auras perturbadas, creando salud, felicidad, un espíritu cooperativo y alegría.

La esperanza inspira a la gente y les hace lograr victorias a veces imposibles. Las fuerzas oscuras odian la esperanza y por todos los medios intentan arrancarla de raíz de los corazones de la gente. Cuando la esperanza es cortada, el hombre se convierte en esclavo de las fuerzas oscuras o en esclavo del caos. Una persona sin esperanza es como un animal atrapado en las manos de sus enemigos físicos, emocionales y mentales.

La esperanza cae en una tensión destructiva cuando se le quita la libertad. La gente sin esperanza sirve a las fuerzas de la destrucción.

Challenge for Discipleship, págs. 490-491

Trata de ver elementos positivos en cualquier persona o evento. Debes saber que a menudo los elementos negativos son servidores de los elementos positivos. Un tipo de gente dice: «Este evento es absolutamente malvado y extremadamente malo». Otros dicen: «Oh, eso no es nada. No me ha hecho daño. Sucedió muchas veces y puede volver a suceder». El tercer tipo de gente dice: «Bueno, las causas de este suceso son las siguientes: ...y podemos eliminar tales sucesos tomando las siguientes medidas…».

En el primer caso, las personas son atrapadas en los tentáculos del pulpo del evento malo. Están congelados e inmóviles, y concluyen que es el fin del mundo. En el segundo caso, la gente es indiferente al sufrimiento, la pérdida y las réplicas; y están contentos porque piensan que el evento no tuvo ningún efecto en ellos. En el tercer caso, la gente se da cuenta de la seriedad del evento, pero puede ver una salida. Tratan de pensar cómo se pueden prevenir eventos similares y cómo se pueden utilizar para sacar a la luz una nueva forma que el mundo estaba buscando, y ponerla en práctica para el beneficio de las personas.

La esperanza no es una actitud emocional, sino una clara percepción mental e intuitiva, cargada de coraje y determinación para lograrlo. Cada vez que leemos nuestros periódicos decimos: «Eso es todo. El fin no está muy lejos». Así es como nos deslizamos cuesta abajo y perdemos la esperanza.

Cada evento es el resultado de ciertas causas. Es posible iniciar nuevas causas para cambiar las causas de eventos futuros. A veces las causas acumuladas deben manifestarse para despejar el cielo para un nuevo rayo de sol.

La evolución del planeta no puede ser detenida por el conflicto entre las pulgas que viven en su piel. Es posible que se produzca una catástrofe mundial, pero no será el final. Tal vez sea un nuevo comienzo. Tal vez la consciencia del hombre se expanda lo suficiente como para cambiar totalmente su instinto de luchar y su espejismo de separatismo e interés propio. Las grandes verdades a menudo se revelan en grandes conmociones.

La esperanza nunca nos abandonará. Permaneció en el fondo de la caja de Pandora. Es el fundamento sobre el que construimos nuestras vidas.

Challenge for Discipleship, p. 493

Cierta vez un psiquiatra vino y me dijo: «Estoy muy cansado. No puedo enfrentar la condición en la Tierra. Veo la destrucción global. Ya no quiero vivir más».

Le dije: «Veo la situación exactamente como tú la ves, pero observo algo más profundo».

«¿Qué es?».

«En tal condición, podríamos continuar envenenando y matando a toda la vida planetaria, pero debido a esta situación ahora podemos ver cómo y por qué la creamos y cómo podemos cambiarla».

«El que escapa al desafío es menos valiente e inteligente que el que no se rinde y lucha hasta el final. Puedes elegir uno de estos caminos. Ten esperanza. En las horas más oscuras de nuestra vida, las puertas se abrirán y la humanidad entrará en una nueva vida. Esas puertas existen para los que no pierden la esperanza».

Challenge for Discipleship, p. 492

5

LOS TERREMOTOS Y EL CORAZÓN

Los terremotos ocurren en lugares donde se llevan a cabo actividades sin corazón a través de los siglos. Cuando el centro del corazón de un lugar está petrificado, no puede equilibrar las energías subterráneas ni los fuegos que se liberan a sí mismos en actividades destructivas tales como varias formas de terremotos.

El centro del corazón de un lugar son los corazones recolectados de aquellos que están llenos de buena voluntad y se dedican al servicio del Bien Común. Si tal centro colectivo se petrifica, nadie puede detener las actividades destructivas de los fuegos subterráneos.

Cada corazón tiene una llama, que colectivamente crea una esfera de fuego. Tal esfera de fuego mantiene los fuegos subterráneos en equilibrio. En cualquier grado en que tal esfera de fuego disminuye en su potencia, en el mismo grado el peligro y la violencia de los fuegos subterráneos aumentan. Si el hombre desaparece del planeta, el planeta se desintegrará y se convertirá en una luna.

Es sabido que los desastres sísmicos generalmente abren el centro corazón de la humanidad y los centros corazón de aquellos que fueron las víctimas. A menudo, inmediatamente después de cada terremoto, la gente pasa por un ciclo de amistad, cooperación, servicio sacrificado y un ciclo en el que ven la inestabilidad e irrealidad de las posesiones materiales. Es en estos ciclos que la consciencia de la gente se expande y rompe muchas limitaciones y el centro corazón comienza a funcionar por un tiempo.

Si en estos ciclos el individuo y las masas de gente cambian sus vidas egocéntricas y viven una vida de caridad, cooperación y aprecio mutuo, desarrollan el fuego del corazón que equilibra los fuegos subterráneos. Si no es así, el terremoto golpea una y otra vez en varios ciclos.

La naturaleza y la consciencia humana están relacionadas como el cuerpo y el alma humana están relacionados. Se afectan mutuamente y se condicionan mutuamente. El hombre actúa como el punto de apoyo entre los incendios espaciales y subterráneos. Si el punto de apoyo se desplaza, los incendios espaciales y subterráneos provocan todas las catástrofes de la naturaleza registradas en la historia del planeta. Los terremotos severos no sólo destruyen muros, carreteras, puentes, etc., sino que también destruyen cristalizaciones en nuestra mente.

Una de las cristalizaciones más fuertes son las posesiones. La gente finalmente se da cuenta de que puede existir sin todas sus posesiones. También ven qué posesiones son vitales y cuáles no lo son. Aprenden la lección del desapego.

Otra fuerte cristalización en nuestra consciencia son los bienes inmuebles, el apego a ciertos lugares. Los terremotos pueden hacer añicos esto también, y hacer que nos demos cuenta en poco tiempo que no somos nuestras posesiones, nuestros inmuebles o nuestra ubicación. A veces se necesitan cientos de años de experiencia para destruir tales cristalizaciones que son las raíces del dolor y sufrimiento humano, las guerras y la revolución.

Otra cristalización pesada es «Puedo hacerlo yo mismo, yo existo para mí». Después de muchos terremotos he notado que el orgullo de tales personas fue destruido, su aislamiento y distanciamiento desaparecieron. Era la primera vez en su vida que podían llorar y apreciar el amor y el afecto de la gente, la primera vez que podían salir de su piel y servir heroicamente a los que están en peligro. Estas son lecciones preciosas que aprendemos del duro golpe de la naturaleza, si no olvidamos estas lecciones.

Uno de mis amigos me dijo que se le permitió entrar en su casa dañada durante diez minutos y sacar algunas de sus pertenencias. Entró y sacó una aspiradora, una silla, algunos libros y una lámpara. Después de sacarlos, se preguntó por qué los había sacado, ya que no tenía dónde quedarse. Las tiró en los escombros. Las personas se comportan de manera extraña después de los terremotos ya que sus cristalizaciones se agrietan y sus «paredes» se caen.

Otra cristalización que a menudo se destruye después de los terremotos es la imagen: «Yo soy poderoso». En un terremoto un hombre rico perdió todos sus edificios y pertenencias y estuvo vagando por las calles durante días. Un día me dijo que se había librado de un diablo que lo estaba forzando a la codicia y a más codicia. «No necesito todo lo que tenía. Acabo de darme cuenta de que era mi propio esclavo», concluyó.

La naturaleza actúa para equilibrarse, y la gente puede aprender una lección de las calamidades que ocurren, y comprender mejor la vida.

A menudo, cuando ciertas partes de la tierra pierden su fuego magnético o psíquico, la Naturaleza atrae una gran cantidad de corrientes de energía de pensamiento de la humanidad hacia estos lugares. Esta es la razón por la que las áreas afectadas por los terremotos no sólo prosperan y se convierten en lugares céntricos para los negocios y la cultura, sino que incluso la vegetación de dichos lugares cambia y aumenta en belleza y en frutos.

También se observa que la nueva generación criada en estos lugares muestra mayores virtudes y talentos en sus vidas y muestra una mayor participación en la vida comunitaria.

Otro espejismo que existe en nuestra consciencia puede ser definido como «permanencia». Compramos cosas como objetos permanentes. Construimos casas como fuentes permanentes de ingresos. Organizamos los trabajos como si fueran permanentes. Un terremoto severo también puede destruir tal espejismo o puede ayudarnos a aprender a ver el espejismo que nos posee. Cuando de repente nuestras casas, trabajos y objetos desaparecen en las ruinas y perdemos a los seres queridos que eran nuestra alegría o protección, de repente nos damos cuenta de que todo es impermanente. *El darnos cuenta de la transitoriedad de todo libera muchos potenciales dentro de nosotros y libera al alma humana para mayores aventuras*, pero los cataclismos no siempre nos recuerdan las causas que crearon los cataclismos.

La gente a veces se pregunta por qué tales desastres llegan a ellos y no a otros. La gente tiene varias respuestas filosóficas a estas preguntas. Algunos dicen que es porque violaron las leyes morales. Otros dicen que no se desarrollaron lo suficientemente rápido como para atender los requerimientos de la naturaleza. Otros dicen que fue debido a su mal karma pasado –sembraron y cosecharon.

Los líderes espirituales de la humanidad tienen que aclarar el asunto y explicar científicamente que no es suficiente tener impulsos repentinos de servir, amar, ayudar o incluso arriesgar nuestras vidas. Lo que se necesita es entender que son nuestras acciones las que crean calamidades naturales. Son nuestros pensamientos, reacciones emocionales y acciones las que crean calamidades. Es lo que le hacemos a la Naturaleza lo que crea calamidades. Una vez que esto se entienda, se deben dar pasos prácticos para expandir nuestra consciencia y cambiar nuestro pensamiento, sentimiento y acción.

Antes y durante los terremotos el corazón demuestra acciones inusuales. Las personas que perciben y registran tal situación inusual se dividen en dos grupos:

1. Los que intentan detener el terremoto.
2. Aquellos que permiten que el terremoto ocurra.

El primer grupo es muy raro, y pasan por una tensión muy alta para estabilizar los fuegos de la tierra y el espacio. Estas personas están dispersas por todo el mundo y se les puede llamar los amortiguadores conscientes de la conmoción. La tradición dice que a veces estas personas fueron conducidas a lugares donde había un gran peligro de terremotos, y a menudo algunos de ellos fueron capaces de detener un terremoto muy peligroso o minimizar considerablemente su magnitud.

El segundo grupo de personas son aquellos cuyos centros corazón están fuera de servicio debido a la vida básica que viven en el odio, el miedo, la malicia, la ira, los celos, los chismes, la calumnia, la traición. Tales vicios destruyen los pétalos del corazón y lo hacen incapaz de actuar como un dispositivo de equilibrio. Debido al creciente número de estos corazones dañados, la acumulación de presión en la tierra y en el espacio pesa mucho sobre aquellos corazones que tienen la capacidad de crear un cierto grado de equilibrio entre las fuerzas furiosas de la naturaleza.

La Enseñanza dice que los corazones sacrificados pueden salvar a millones de personas por su mera presencia. La Enseñanza aconseja examinar científicamente tales corazones y descubrir cómo varía su acción bajo diversas condiciones. Estos corazones atraviesan un período doloroso, e incluso a veces se rinden bajo la presión ardiente.

En el futuro la ciencia podrá proporcionar ciertos dispositivos que la gente usará para comprobar las condiciones de sus corazones, para ver si algún terremoto se está acercando al lugar en el que viven. El corazón es el sismógrafo más sensible, pero desafortunadamente los científicos no están interesados en la sensibilidad del corazón.

Aquellos que matan al corazón con películas y programas de televisión que demuestran violencia, crimen, asesinatos y los vicios y las tonterías de la gente, llevan a la humanidad a la extinción. Una vez que el corazón muere o se petrifica, los hombres y las mujeres hacen todo en contra de sus propios intereses, su futuro y su supervivencia. Un corazón petrificado produce locura y caos.

Una vez un Instructor dijo que la solemnidad es un gran poder que puede prevenir desastres. En esta época apenas se encuentra solemnidad en las escuelas, en los libros, en las películas, en las publicaciones, en los programas de televisión. La publicidad tonta, absurda y sin sentido tiene más valor de mercado que la solemnidad. Donde falta la solemnidad, la formación del corazón se hace imposible.

La industria cinematográfica piensa que no puede atraer a la gente si no tiene programas de violencia, asesinato, sexo y locura. Esta es una advertencia a la población de la tierra, diciendo que el escudo protector ya ha desaparecido y que grandes calamidades están en camino.

La gente presenta muchas razones por las cuales las condiciones climáticas se están volviendo desfavorables para la humanidad. En todos estos argumentos la razón principal está ausente. No ven que los cambios climáticos son el resultado del estado degenerativo de la consciencia de la humanidad, el resultado de la locura humana, la codicia, el odio y el separatismo. A menos que veamos la verdadera causa de los disturbios climáticos y tomemos medidas para detener esa causa, enfrentaremos otra destrucción global mucho más peligrosa que la sumersión del continente atlante. Es probable que tal destrucción convierta nuestro globo terráqueo en una luna.

En lugar de ocuparnos de encontrar las causas de esta condición en descomposición, luchamos por territorios, vendemos drogas, explotamos a la gente, malgastamos nuestras energías sexuales, nos odiamos y nos traicionamos unos a otros sin sentir que la tierra ya se está moviendo por debajo de nosotros, o que el iceberg se está convirtiendo en una amenaza que ya está en camino de golpear al barco en el que millones de personas están intoxicadas por su locura y sus placeres.

Las calamidades y los desastres se evitan sólo a través de la energía del corazón. Cuando el corazón, a través de su fuego acumulado, entra en contacto con los Mundos Superiores, la ayuda llega. Es la tensión y la aspiración del corazón lo que evoca la ayuda de las Fuerzas Superiores.

La gente puede evitar caer en el abismo sólo aumentando su contacto con los Mundos Superiores. Esto se hace a través del esfuerzo, la oración, la meditación, la aspiración intensa y el incremento del fuego del corazón a través de la concentración de todo su ser en la belleza, la solemnidad y la magnanimidad.

Aquellos que pueden prevenir terremotos usan sus corazones como amortiguadores, y en momentos cercanos al desastre liberan la energía de su corazón para equilibrar y calmar las corrientes conflictivas.

Aquellos que están cargados con energía psíquica y con el fuego del corazón no interfieren con el karma de la gente. Si un lugar necesita kármicamente purificación o transformación, entonces esta gente no intenta trabajar contra el karma, sino conectarse subjetivamente con aquellos que, debido a su pureza, necesitan fuerza para salir del desastre.

Uno puede preguntarse por qué esta gente que tiene corazones puros se vería envuelta en desastres. La vida proporciona oportunidades para que estas personas no sólo tengan un corazón puro, sino un corazón que se encienda con fuego de compasión y energía psíquica. Estas personas, que tienen una gran oportunidad, pueden cultivar sus corazones para tratar de hacer un trabajo de rescate sacrificado. Es en las dificultades y en el servicio sacrificado demostrado que los corazones de tales personas aumentarán con fuego y energía psíquica. En el futuro podrán actuar como dispositivos de equilibrio durante el peligro de los desastres naturales.

La vida es una Instructora, y su trabajo de educación y disciplina no sólo se relaciona con los seres humanos, sino con todas las formas de vida visibles e invisibles en la naturaleza.

La vida construye mecanismos para expandir su labor Cósmica, y una de sus labores es crear corazones. La gente no sabe aún que el corazón es la forma más avanzada que existe de manifestación.

Es cierto que las calamidades crean un despertar momentáneo, y brotes momentáneos de buena voluntad, pero rara vez cambian la consciencia de la gente, y después de un tiempo la gente sigue festejando y bailando en sus viejas consciencias. Pero las calamidades son oportunidades y cuando la gente estudia sus causas y efectos futuros, pueden empezar a vivir de forma diferente para no crear ningún tipo de causas adicionales para futuras calamidades. La consciencia se expande sólo por el esfuerzo hacia la perfección y al actualizar nuestros potenciales internos.

Una de las falsas ideas que prevalecen en la consciencia de las masas ignorantes es que las calamidades y las tragedias son considerados métodos de castigo, preparados, diseñados y enviados a la gente para disciplinarlos y cambiar su forma de vida. Sin embargo, el hecho es que todas las calamidades y desastres son el fruto de las semillas de nuestras acciones, de nuestros sentimientos y de nuestro nivel de consciencia.

Dios, o algún Poder Superior, sabe que las calamidades no son capaces de causar expansión de consciencia, y desarrollo de los corazones de las personas de forma permanente. Si el castigo y la tragedia pudiesen cambiar a la gente, muy pronto nuestras autoridades crearían todo tipo de castigos y calamidades para someter a las personas al sufrimiento y al dolor para transformar su naturaleza. Por supuesto, el miedo puede imponer ciertas conductas, pero no puede cambiar la naturaleza humana, y cuando el miedo se ha ido, la verdadera naturaleza se manifiesta de nuevo.

Todo lo que sucede en el mundo es una reacción al pensamiento, sentimiento y acción humanas. La gente aún no se da cuenta de que los globos en el Espacio están haciendo su trabajo predestinado por las energías electromagnéticas, y los seres humanos son los transistores, transmisores y condensadores más avanzados en el globo. Si sus dispositivos están cruzados y juegan con las fuerzas y energías de la Naturaleza para gratificar su avaricia e interés propio, la Naturaleza trata de ajustarse a sí misma y renovar su equilibrio y armonía con el resto de la creación. Es en las crisis de ajustes que todas las calamidades naturales se producen. No tienen intención de hacer daño a la gente sino de eliminar las causas perturbadoras. Así que la naturaleza no toma venganza, sino que hace su propio trabajo. Corresponde a los seres humanos estudiar las causas de las perturbaciones y eliminarlas en su naturaleza si no quieren estar involucrados en calamidades naturales.

Lo siguiente está tomado de un escrito inédito de un Sabio, que tiene una profunda implicación en este tema:

> *...No hay cataclismos suficientemente horripilantes para dirigir la atención de la humanidad a la verdadera naturaleza de sus actos. Recordemos cómo, durante los grandes cataclismos del pasado, a los que sobrevivieron no les importaba pensar en las causas de los desastres. Se consideraban inocentes víctimas de un destino cruel. Ellos no querían purificar su consciencia y, en vez de purificación, comenzaron a dar rienda suelta a su libre albedrío de manera alocada.*
>
> *Las corrientes de voluntad entran en rápida colisión, y el pensamiento indisciplinado llena el espacio con las explosiones más destructivas. Probablemente el ignorante declarará de nuevo que Nosotros los amenazamos y asustamos, pero deberían repasar las páginas de la historia. Que rastreen las calamidades de la humanidad. Las calamidades no son enviadas por el cielo, ¡sino por la sociedad humana! La gente persigue a sus propios Salvadores, actuando como un músico que, antes de su concierto, arranca las cuerdas de su propio instrumento.*
>
> *Cuando Nosotros mencionamos las inevitables consecuencias de la ignorancia y la locura, estamos bien preparados para acusaciones*

de crueldad. No hay palabras en un lenguaje humano que puedan advertir a la gente lo suficiente contra la autodestrucción, la destrucción de todo el planeta o la contaminación del espacio. Es Nuestra paciencia, adquirida a lo largo de los siglos, que nos ayuda a ofrecer continuamente la salvación a la humanidad, a pesar de su ingratitud y crueldades. Cada día y cada hora nos maldicen y Nuestra Mano Amiga es rechazada.

¡Uno puede imaginar qué violentas corrientes de locura intencional inundan cada movimiento de manera permanente! ¿Por qué pensar en los lejanos hierofantes del mal cuando la gente, que parece estar luchando contra el mal, en realidad están incrementando el mal al máximo? Tal es la situación en la tierra. Los ingratos hijos de la Tierra se apresuran a acercar más la catástrofe, y cada advertencia es tomada como una ofensa. Así el mundo ha inscrito la verdad sobre el Gólgota.

6

LA PSICOLOGÍA DE LOS TERREMOTOS

La naturaleza siempre tiende a crear armonía y equilibrio a partir del caos, como si los estados de armonía y equilibrio fuesen los pasos que la Naturaleza da para alcanzar una mayor creatividad y abundancia.

Los ciclos de la Naturaleza son apropiados cuando hay un intercambio recíproco o mutuo de energías entre La Tierra y sus esferas. Este equilibrio y mutualidad de intercambio de energías nutre a la Tierra y a sus reinos. Las esferas de la Tierra están llenas de energías ígneas electromagnéticas que reciclan las emanaciones, fuerzas y energías, y las devuelven a los Reinos de la Tierra.

Estas emanaciones naturales son:

1. Radiación de olas de calor;
2. Emanaciones de varias rocas y minerales;
3. Gases naturales y evaporación de los lagos, ríos y océanos, con sus químicos particulares;
4. Emanaciones del reino vegetal en conjunto;
5. Emanaciones del reino animal y sus sonidos;

6. Emanaciones físicas humanas, por ejemplo, sudor, olores, secreciones y sonidos;
7. Emanaciones emocionales humanas;
8. Emanaciones mentales humanas; y
9. Emanaciones espirituales humanas.

Todas estas emanaciones llenan el Espacio y las esferas de la Tierra. El Espacio los recicla y los devuelve a la tierra como formas de corrientes de energía cargadas con fuegos espaciales.

Cuando el Espacio se llena de contaminantes, sus energías lentamente se vuelven inactivas y ciertos lugares en el Espacio se convierten en un vacío. Esta es una situación muy peligrosa, porque este vacío no sólo succiona la vitalidad de la Tierra, sino a la Tierra misma. Cada vez que esto ocurre, hay un terremoto.

Se nos dice que cuando el Espacio ejercita una tremenda presión sobre ciertas partes del globo, ocurre un tipo diferente de terremotos, causados cuando la polaridad del Espacio y de la Tierra se convierten en la misma. El vacío creado y la presión resultante son causados por una acumulación de emanaciones de naturaleza negativa o contaminada. La contaminación que emana de fábricas y maquinaria, insecticidas y todos los demás productos químicos venenosos y gases utilizados en el globo, hacen que sea muy difícil para la Naturaleza llevar a cabo su proceso de reciclaje y recarga.

Muchos lugares de la Tierra están llenos de contaminación, mezclados con un gran número de nubes compuestas de odio, venganza, crimen y horror. Tales acumulaciones crean vacíos. Una vez que se crea un vacío y alcanza su capacidad de mover la Tierra, al tratar de restaurar el equilibrio puede golpear en cualquier parte.

Las personas que viven en zonas de desastre pueden ser culpables de crear tales vacíos, o pueden ser víctimas pagando por los errores de otros que pueden vivir cincuenta mil millas lejos del lugar del desastre. También es posible que el «público inocente» sea responsable del desastre.

Según la Sabiduría Eterna, no existe ningún persona, grupo o nación inocente; sólo existe la humanidad, y no es inocente. Personas de todas las naciones comparten los fracasos y las transgresiones de la humanidad, así como un dedo comparte el dolor de todo el cuerpo.

Pero es posible hacer que ciertas áreas sean inmunes a los desastres naturales. La inmunidad se produce cuando un Iniciado, un grupo con alta integridad, o una comunidad con altas aspiraciones y metas, viven en la zona. Dichos *centros* actúan como amortiguadores; a menudo el Iniciado, el grupo o la comunidad protege hasta diez millones de personas. Pero si se carece de tal protección, los rayos pueden caer en cualquier lugar.

También es posible que la gente en ciertos lugares elija subjetivamente sacrificarse a sí mismos con el fin de evitar un gran desastre en la Tierra, absorbiendo el choque y sacrificándose por la supervivencia de un número mayor de personas.

Por supuesto, los que son golpeados sin ser contribuyentes personales de la contaminación, o que no eran factores obstructivos en la evolución de otros, serán altamente compensados en vidas futuras y se les dará mayores oportunidades para proseguir en un sendero espiritual más elevado.

Las formas de pensamiento deprimentes y dolorosas de tragedias pasadas hacen gradualmente que un individuo o una nación se vuelvan negativos, en contra de la supervivencia, sospechosos, temerosos y destructivos. Tal atmósfera rompe la armonía que existe entre los fuegos del lugar y los fuegos espaciales. Cuando esta armonía se rompe, la Naturaleza trata de restaurar el equilibrio a través de catástrofes naturales como terremotos, epidemias y enfermedades.

La perpetuación de dolorosas formas mentales de pasadas tragedias perpetúan esos eventos destructivos que entonces golpean rítmicamente las zonas en las cuales dichas formas mentales se han acumulado. Es posible retrasar este tipo de catástrofes a través de la presencia de grandes y santos individuos que, en algún grado, absorben la tensión y mantienen el equilibrio. La oración masiva y la meditación pueden, hasta cierto punto, minimizar el peligro.

La reacción de la Naturaleza para restaurar el equilibrio es un esfuerzo para destruir formas mentales pasadas de dolor, sufrimiento e injusticia. La Naturaleza se desapega de una antigua forma mental de dolor al introducir una nueva forma mental de dolor. Esto es exactamente lo que nos pasa a nosotros. Nos peleamos por cuestiones insignificantes, pero de repente nos unimos cuando la tragedia golpea.

La supervivencia de un individuo, grupo o nación depende de cómo lidie con formas mentales dolorosas. A veces la dolorosa forma mental que la Naturaleza crea para erradicar una forma mental más antigua incrementa la intensidad de esta última y la hace insoportable.

Debemos aprender a manejar tales situaciones para evitar que los individuos, grupos y naciones caigan en un complejo de mártir. El complejo de mártir es responsable de la creación de criminales, terroristas, revoluciones y guerras. Tales personas y acontecimientos perpetúan el ciclo de tragedia y catástrofe natural.

Se sugiere que formulemos una filosofía que analice esas formas mentales y que haga que la gente trabaje conscientemente para combatirlas de las siguientes maneras:

1. Ver las causas de la tragedia;
2. pensar en los logros futuros y en la alegría;
3. reemplazar las imágenes negativas por imágenes positivas, y
4. crear una literatura que transmita esperanza y futuro.

Debemos entender que lo negativo, las formas mentales dolorosas, no traen salud y felicidad ni a nosotros mismos ni a los demás.

Una de las formas más efectivas de combatir la formación de fisuras entre los fuegos espaciales y aquellos fuegos que existen en individuos, grupos, naciones y sus lugares, es enseñarles a mantenerse alertas y observar lo que los incita a realizar varias acciones en varios planos. Tal discriminación les impedirá contribuir a poderosas y deprimentes formas mentales.

Los eventos catastróficos pueden ocurrir en lugares donde existe el estancamiento o la inercia, o en los que hay formas de pensamiento que no son progresivas o que no están de acuerdo con la velocidad general de la evolución. La Naturaleza activa a individuos más lentos a través de catástrofes naturales, guerras, revoluciones, incendios y hambrunas.

La gente actúa cuando son impulsados por:

a. causas externas,
b. causas accidentales, o
c. el Espíritu.

Algunas personas esperan hasta que un accidente les empuja a la acción. Pero si una persona es sensible, puede oír o sentir el impulso de su Espíritu.

Cuanto más actuemos sobre el impulso interno, más control ganaremos sobre aquellos avisos que son activados por nuestra mente subconsciente. Los impulsos espirituales activan el Cáliz, las corrientes de los cuales se adecúan a la meta y están en armonía con las corrientes Cósmicas. Los impulsos accidentales están asociados con nuestros estados de ánimo y pensamientos; activan imágenes y fórmulas subconscientes.

¿Qué es lo que nos pone en acción? Es muy importante saber esto porque la fuente o la causa que nos pone en acción pueden llevarnos a la autorrealización o a una vida sin rumbo. La causa puede hacer de una persona un gigante o un enano. La fuente del impulso, la causa que nos hace actuar, es también la visión que trata de manifestarse a través de nuestras acciones. Los impulsos que transmitimos construyen mientras tanto nuestro futuro. La causa busca su culminación futura a través de nuestras acciones.

Las catástrofes naturales son el resultado directo de formas mentales acumuladas que construyen escisiones entre fuegos espaciales y terrenales. Por ejemplo, algunos de los pensamientos que crean escisiones son pensamientos cargados por:

1. Odio, miedo, ira, venganza, calumnia, separatismo;
2. fealdad y traición;
3. explotación y totalitarismo:
4. elaboraciones mentales, mentiras y falsedades;
5. motivos de asesinato y terror;
6. pensamiento anticuado, no progresivo, obsoleto y orientado hacia el pasado.

Estos seis tipos de pensamientos crean divisiones entre las dos esferas ardientes de la Tierra y el Espacio.

Otro factor que contribuye en gran medida a las divisiones es la posesión. Cualquier entidad que posea a una persona crea divisiones entre la personalidad de la persona y el alma, entre fuegos terrenales y espaciales. Las luces de una persona que sirve como médium para las entidades astrales, se apagan una por una, hasta que toda su aura esté en total oscuridad. Se observa que antes de una guerra o catástrofe natural, la actividad de los médiums aumenta en el mundo. Estas actividades construyen divisiones entre los fuegos.

La estabilidad de la Tierra está garantizada sólo si hay un intercambio armonioso entre los fuegos sutiles y los más burdos en el hombre y en la Naturaleza. Una repentina avalancha de corrientes de los fuegos espaciales o solares hacia los fuegos terrenales crea aquellas condiciones que producen dolor, sufrimiento y devastación.

Debemos darnos cuenta que la Naturaleza es progresista; las formas que retrasan su progreso son eliminadas de varias maneras. Las catástrofes naturales, los accidentes y las pérdidas experimentadas por los individuos, a menudo destruyen sus formas mentales dolorosas y deprimentes que los vinculan a la materia, al espejismo emocional, a las formas de relación, las cristalizaciones mentales y las formas de pensamiento de la «antigua era». Esto libera a toda la persona a tal grado que pierde la fe en todo lo que existe en el mundo; ve la inutilidad de sus acumulaciones emocionales y mentales y sus recursos.

Las secuelas son largas o cortas, dependiendo de muchos factores. La persona, grupo o nación, comienza a desarrollar un nuevo enfoque de la Naturaleza, de las personas, de los problemas o de las bendiciones de la vida. A veces se produce un cambio total en la consciencia de la persona. Él ve la transitoriedad de los objetos físicos y la inutilidad de muchos tipos de emociones y formas de pensar. Comienza una nueva vida con una nueva perspectiva. Comienza el proceso de rehabilitación cuando una persona experimenta tal cambio.

La mejor manera de rehabilitar a una persona es dirigirla hacia posibilidades futuras sin mencionar ideas o valores pasados. Puede que más tarde combine su visión de futuro con los valores antiguos, pero esto debe ser hecho por la persona y no por nadie más.

Si esta teoría es correcta, ¿por qué las naciones que organizan genocidio o se dedican a la destrucción de personas y de ciudades viven en abundancia y poder, mientras continúan cometiendo crímenes sin ser castigados por leyes naturales o acontecimientos mundiales? La respuesta puede parecer ilógica, pero, sin embargo, es cierta. Las consecuencias kármicas tienen sus horas acordadas. Cientos de años en la historia se cuentan como sólo unos pocos días desde el punto de vista del karma y la retribución.

Aquellos que son instrumentales en la destrucción, pronto o más tarde enfrentarán la mano de hierro de la Ley Cósmica. No hay escape cuando una persona o nación destruye las formas a las que la Naturaleza otorga vida. Nuestra esfera global está llena con «bombas de pensamiento», que a su debido tiempo golpearán las ubicaciones correctas con resultados desastrosos.

¿Es posible que las personas que son víctimas de tales desastres sean culpables o tengan que sufrir? No, en absoluto. Lo contrario puede resultar cierto. Los Grandes Instructores nos dicen que a veces «gente inocente» muere por las transgresiones de otros. Algunas naciones son sacrificadas para traer grandes revelaciones a otras.

Por ejemplo, digamos que una planta de energía atómica libera radiación y mata a un millón de personas. Debido a esto, las medidas de seguridad y el conocimiento aumentan, lo que ahorrará la vida de diez millones de personas en el futuro. Un terremoto que mata a medio millón de personas puede revelar las deficiencias de la ingeniería, la construcción, la escasez de hospitales y arreglos planificados con anticipación, y cosas similares. Un terremoto así enseña a los líderes y funcionarios tanto, que sus pasos futuros protegerán la vida de un mayor número de personas.

La Naturaleza a menudo toma medidas drásticas para abrir la consciencia de la humanidad. A través de tales actos, la Naturaleza puede sacrificar a miles de «personas inocentes», para poder salvar a millones en el futuro. La Naturaleza trabaja conscientemente; no es ciega, y cada evento es parte de un gran plan.

El centro más importante en el ser humano es el centro corazón. A través de la apertura del centro corazón, la hermandad de la humanidad será finalmente alcanzada. Los desastres fuerzan al centro corazón a abrirse.

Personas sensibles a su consciencia, a su corazón, o a la inspiración de las Fuentes Superiores, muy a menudo escapan de las zonas de desastre porque siguen las corrientes del Imán Cósmico que se refleja en su consciencia y en su corazón.

Las personas que no están preparadas para actuar a instancias de su Espíritu, actúan sólo de acuerdo con los acontecimientos mundiales actuales y los desastres naturales. Cuando la gente actúa de acuerdo con el Espíritu, el Espíritu trata de manifestarse a través de ellos. Cuando la presión de los acontecimientos mundiales o los desastres naturales ponen a las personas en acción, ellas no se elevan a un nivel en el que puedan actuar de acuerdo con los llamados del Espíritu.

Desastres naturales y muchos tipos de desastres individuales, grupales y calamidades nacionales, también pueden ser utilizados para llevar a la gente a la comprensión de que todas las formas existentes son transitorias, excepto el Espíritu del hombre. Para llegar a esta realización, uno debe constantemente ganar y luego perder, hasta que ve la irrealidad de lo ganado y lo perdido. Esta realización no viene en forma de revelación, sino que se acumula gota a gota, hasta que la persona desarrolla gradualmente un estado de indiferencia hacia la ganancia y la pérdida.

Es después de que tal actitud se desarrolla que la persona comienza a comprender que su verdadero Ser está por encima de toda ganancia y pérdida. Se trata de un gran avance que conduce a experiencias más profundas en las que el alma humana recuerda esos estados de consciencia que trascienden los estados de ganancias y pérdidas.

La naturaleza insta a cada ser humano a proseguir hacia su estado esencial y trascendental de ser. Esto se logra cuando se alcanza un estado de equilibrio entre la materia y el Espíritu. La Naturaleza obliga al Espíritu a identificarse con la materia; entonces, cuando el tiempo está maduro, la Naturaleza fuerza al Espíritu a des-identificarse de cualquier forma o estado de ser que no sea estable y eterno.

Para hacer que la gente se libere de la identificación con las formas materiales, la Naturaleza usa métodos drásticos como las calamidades naturales y diversas formas de desastre. Pasando por tales desastres, una persona eventualmente despierta a la irrealidad de aquello con lo que se identificaba. Mientras el Espíritu humano se pierda en la materia, no puede usar la materia para lograr el autodominio. En cambio, la persona se convierte en esclava de la materia.

En la medida en que una persona se emancipe de la esclavitud de la forma, ganará el control sobre la forma y podrá usar la forma para proseguir hacia su vida espiritual. El progreso espiritual no significa vivir «en el aire», sino tener más control sobre la Tierra y usar todas las formas de una manera adecuada.

Los desastres naturales y las calamidades abren nuevas ventanas y puertas dentro de nuestro ser. Vemos el verdadero valor de los objetos y actividades de la vida. Nos atraen hacia la madurez espiritual; ya no perdemos el tiempo jugando con nuestros antiguos juguetes.

El hombre, a través de la meditación, debe llegar a la comprensión de que la materia y la vida, que es orquestada por la materia, es una ilusión. Cuanto antes llegue una persona a esta conclusión, menos será el dolor y el sufrimiento requeridos para llevarle a la misma conclusión.

La vida orquesta los acontecimientos de tal manera que el Espíritu prosigue su camino al Hogar.

Todo hombre
se erguirá por una visión,
por un futuro,
y estará listo
para trabajar en actualizar
esa visión,
ese futuro…

Hiawatha and the Great Peace, p. 122

T. Saraydarian

CONTINUANDO CON EL LEGADO

Torkom Saraydarian dedicó su vida entera a servir a los demás en el crecimiento espiritual. Al momento de su muerte física en 1997, muchos libros habían sido ya publicados y más de 100 manuscritos estaban a la espera de su publicación.

Torkom Saraydarian tenía la sabiduría y habilidad únicas para escribir todos estos libros magníficos y componer cientos de composiciones musicales en el lapso de una sola vida. La publicación y archivo de sus trabajos creativos tomará también una vida completa de esfuerzo cooperativo de nuestra parte. Necesitamos sus contribuciones y respaldo continuo, pues juntos podemos hacer que su sueño sea una realidad, y podemos hacer que su legado fructifique.

Un fondo especial, el *Fondo de Publicación de Libros de Torkom Saraydarian*, ha sido creado para la publicación de sus libros. Adicionalmente, un *Fondo de Donaciones* ha sido establecido para la perpetuación de todos sus trabajos creativos.

Contáctenos para más detalles y actualizaciones concernientes a los programas de publicación y archivo.

Usted puede contribuir con fondos para un libro entero, o dar cualquier cantidad que desee sobre una base continua, o como una contribución única.

Muchas gracias por su respaldo amoroso y continuo.

SOBRE EL EDITOR

T.S.G. Publishing Foundation, Inc. es una organización no gravable sin fines de lucro. Fundada el 30 de noviembre de 1987 en Los Angeles, California, se trasladó a Cave Creek, Arizona, el 1o. de enero de 1994.

Nuestro propósito es el de ser un sendero para la auto-transformación. Estamos completamente dedicados a la publicación, enseñanza, distribución y archivo de los trabajos creativos de Torkom Saraydarian.

Nuestra oficina y tienda en línea ofrecen una colección completa de los trabajos creativos de Torkom Saraydarian para la venta y distribución.

Nuestro boletín Outreach contiene artículos que fomentan el pensamiento y está disponible tanto en material impreso como en nuestra página web con notificaciones electrónicas gratuitas.

Free Wisdom es un servicio en línea para mantenerle actualizado sobre eventos, materiales interesantes y lecturas inspiradoras.

También conducimos clases, seminarios especiales de entrenamiento, Conferencias Anuales en los Estados Unidos e internacionalmente, y cursos de meditación para el estudio desde el hogar.

Contáctenos o visítenos en línea para detalles sobre nuestras actividades y eventos actuales y venideros.

Página web: www.TSGFoundation.org

LA UNIVERSIDAD TORKOM SARAYDARIAN

Torkom Saraydarian soñó con un centro de entrenamiento, usualmente llamándolo la Universidad, donde hombres y mujeres pudieran ser entrenados en la teoría y aplicación de los Principios y Valores Superiores de la Sabiduría Eterna. Llamó a tal educación superior «Educación Acuariana» y motivó continuamente a sus estudiantes a formar tal institución en el futuro.

> *Hay una creciente necesidad de liderazgo en el área del conocimiento esotérico. Más y más gente se está desilusionando de las enseñanzas que reciben de oportunistas, de gente que tiene buenas intenciones pero están llenos de espejismos y vanidades, o de gente que quiere usar la Enseñanza como un negocio para recolectar dinero.*
>
> *Un gran dano se hace las personas que se aproximan a la Enseñanza con sinceridad en su corazón y son atrapados por grupos, instituciones u organizaciones que son sólo para actividades sociales o que funcionan como trampas de explotación. Algunos de estos buscadores gradualmente se olvidan de su búsqueda y se adaptan al entorno. Algunos de ellos suprimen totalmente su aspiración y esfuerzo espiritual debido a su desilusión. Sólo un pequeño porcentaje, a través de la discriminación, continúa su búsqueda para encontrar el campo adecuado donde puedan crecer y servir.*
>
> *El número de verdaderos buscadores está incremen-tándose. Debemos prepararnos para satisfacer sus necesidades y al mismo tiempo, resguardarnos de los peligros de caer en las vanidades, los espejismos, o en la utilización de los buscadores para nuestros propios intereses.*

Torkom Saraydarian, *Leadership* I, p. 16

Nuestros primeros cursos de entrenamiento fueron lanzados en setiembre 2000. Tenemos clases presenciales así como por correspondencia. Para información sobre las clases y el registro en línea, visite nuestra página web o escríbanos.

https://www.tsgfoundation.org/tsg-university-information.html

INFORMACIÓN PARA PEDIDOS

Los trabajos completos de Torkom Saraydarian:

- Libros.
- Folletos.
- Música.
- Conferencias en audio y vídeo.
- Cursos de Meditación y estudio.
- Boletines gratuitos por correo electrónico.
- Visita nuestra sección de libros electrónicos en nuestra página web para ver las últimas actualizaciones.
- Catálogos completos disponibles en línea.
  www.tsgfoundation.org

Por favor contáctenos para información adicional:

TSG Publishing Foundation, Inc.
P.O. Box 7068
Cave Creek, AZ 85327-7068
United States of America
Tel: (480) 502-1909
Fax: (480) 502-0713
E-mail: *info@tsgfoundation.org*
espanol@tsgfoundation.org
Website: *www.tsgfoundation.org*

Para información sobre pedidos en español de este título:

Editorial Dagón:
Web: *http://editorialdagon.es*
E-mail: *jrubio@editorialdagon.es*
Facebook: *Torkom Saraydarian en español*